# Tarántulas

## fascinantes y exóticas

> Autor: Volker von Wirth | Fotos: Oliver Giel

# Indice

## Aprenda a conocerlas



## Descubrir y observar

## Terrarios adecuados



## Sanas y en forma



## Apéndices

HISPANO EUROPEA

# Aprenda a conocerlas

# Las tarántulas, esas desconocidas

Hace ya muchos años que cuido tarántulas en mis terrarios, y nunca han dejado de fascinarme. Permítame que le felicite por haberse decidido a tener una tarántula. Ha elegido un animal realmente apasionante. A lo largo de las siguientes páginas le explicaré todo lo que necesita su tarántula para sentirse a gusto.

*¿Insecto a la vista? Esta* Haplopelma lividum *espera pacientemente a que se aproxime su presa.*

## Un poco de sistemática

Las tarántulas pertenecen a la clase de los arácnidos, grupo que se incluye en el *filum* de los artrópodos junto con los crustáceos, los insectos y los miriápodos. Este *filum* es el grupo de animales con mayor número de especies, y sus miembros se caracterizan por tener un exoesqueleto de quitina que cubre tanto su cuerpo (segmentado) como sus extremidades (articuladas).

**Las tarántulas** (familia *Theraphosidae*) pertenecen al suborden de las arañas migalomorfas, y todas ellas tienen la capacidad de producir telaraña. Según los diversos autores, su número de especies oscila entre 800 y 900.

## Hábitat de las tarántulas

Las tarántulas viven principalmente en las regiones tropicales y subtropicales habitando en todo tipo de ecosistemas, desde las llanuras bajas hasta regiones montañosas a más de 3.000 m de altura. También las encontramos en estepas y en regiones prácticamente desérticas. Allí viven en los lugares más diversos: sobre o dentro de las flores, en muros de piedra, en el suelo, o incluso bajo tierra.

**Especies arborícolas:** Las tarántulas viven en agujeros de los troncos y ramas, en los embudos formados por las hojas de las plantas, especialmente de las bromelias, así como en tubos tejidos por la propia araña, por ejemplo, a lo largo de una rama.

**Especies terrestres:** Muchas tarántulas viven en madrigueras excavadas por ellas mismas y que, según el lugar, pueden alcanzar una profundidad de hasta dos metros. Pero también es frecuente encontrar madrigueras bajo las piedras o entre la hojarasca. Es raro que las tarántulas vivan en las grietas de los muros. La especie *Chaetopelma gracile*, de Chipre, es una de las pocas que prefieren este tipo de vida.

## Así viven las tarántulas

Son animales de costumbres nocturnas o crepusculares y generalmente aparecen al anochecer, colocándose a la entrada de su escondrijo al acecho de alguna presa. En caso de peligro desaparecen velozmente en su refugio. De día solamente se las encuentra fuera de su refugio en caso de que haya llovido mucho y éste haya quedado temporalmente inundado. Durante la época del apareamiento, algunos machos muestran actividad diurna al ir en busca de hembras.

> *Este ejemplar de* Nhandu chromatus *se defiende alzando la parte anterior de su cuerpo.*

## Enemigos de las arañas

Las tarántulas, y especialmente los individuos jóvenes, tienen muchos enemigos. En primer lugar están las aves, los reptiles y los anfibios, así como algunos insectos y miriápodos (escolopendras), sin olvidarnos de otras arañas. También hay bastantes mamíferos que las incluyen entre sus presas habituales, como los monos y los coatíes. Sin embargo, su peor enemigo es el hombre, que al reducir progresivamente los biotopos, ha hecho que el hábitat de algunas especies haya disminuido hasta límites muy peligrosos.

## ¿Cuánto viven las tarántulas?

Las tarántulas hembra pueden llegar a vivir en terrario hasta más de 30 años. En libertad también son animales muy longevos, pero probablemente sólo alcanzan esta edad en casos excepcionales. Los machos mueren mucho antes. Según las especies, éstos tardan entre dos y ocho años en alcanzar la madurez sexual. A partir de ahí ya no suelen vivir mucho, ya que su única misión en esta vida, procrear, acostumbran a llevarla a cabo en su primer año de madurez. En el terrario, los machos de algunas especies suramericanas pueden vivir tres o cuatro años más.

RECUERDE

### Conceptos importantes:

- ✔ LC: Longitud del cuerpo, medida desde la cabeza hasta las hileras (sin contar las extremidades).
- ✔ Adulto: Individuo que ha alcanzado la madurez sexual.
- ✔ Subadulto: Individuo que está a punto de alcanzar la madurez sexual.
- ✔ Prelarva: Primer estadio larvario al salir del huevo.
- ✔ Larva: Segundo estadio, se inicia cuando la prelarva muda.
- ✔ Ninfa: Todos los estadios intermedios entre la última fase larvaria y el animal adulto.

Los términos anatómicos se explican en las págs. 32/33.

## *Avicularia minatrix*

**Tamaño:** LC unos 4 cm.
**Distribución:** Venezuela; regiones con vegetación mediterránea.
**Hábitat:** Vive principalmente en el cono formado por las hojas de las bromelias, o en agujeros de los árboles.
**Aspecto externo:** Extremidades y escudo de color marrón rosáceo. La parte superior del opistosoma presenta un dibujo negro en forma de espina de pescado bordeado en los flacos por cinco manchas rojas.
**Comportamiento:** Especie pacífica, si se la molesta desaparece rápidamente en su escondrijo. En el terrario es posible mantener varios ejemplares juntos. Si se los mantiene en grupo, su esperanza de vida aumenta.
**Mantenimiento:** Terrario para especies arborícolas. Incluir algunas bromelias. Corteza de corcho como escondrijo.

## *Avicularia azuraklaasi*

**Tamaño:** LC unos 5 cm.
**Distribución:** Perú; pluviselva tropical.
**Hábitat:** Vive entre la hojarasca y en los troncos de los árboles. También es frecuente en el interior de las casas.
**Aspecto externo:** Extremidades y prosoma de color verde oscuro, opistosoma negro con un semicírculo de pelos rojizos en la parte delantera superior. Extremos de los tarsos de color rojo.
**Comportamiento:** Especie tranquila, se esconde en cuanto la molestan. Enrolla las hojas hasta formar un tubo y lo sujeta con su tela. También teje tubos en las grietas de los troncos o en los techos de paja de las viviendas.
**Mantenimiento:** Terrario para especies arborícolas. Plantas trepadoras y bromelias. Corteza de corcho como escondrijo.
**Especies que necesitan cuidados parecidos:** *A. metallica, A. avicularia, A. versicolor.*

## *Psalmopoeus cambridgei*

**Tamaño:** LC unos 7 cm.
**Distribución:** Trinidad; pluviselva tropical, también en plantaciones de cocoteros y bananeras.
**Hábitat:** Vive en grietas de los troncos o bajo la corteza. También teje telas en las axilas de las hojas.
**Aspecto externo:** Extremidades y prosoma de color verdoso; opistosoma con dibujo negro en forma de espina de pescado. Presenta una raya roja en la parte superior de los metatarsos y una mancha roja en los tarsos.
**Comportamiento:** Si se la molesta intenta huir, pero también puede defenderse con su mordedura venenosa. Corre con gran rapidez.
**Mantenimiento:** Terrario para especies arborícolas. Incluir plantas trepadoras. Corteza de corcho para escondrijos.
**Especies que necesitan cuidados parecidos:** *P. irminia,* especies del género *Tapinauchenius.*

 Arborícola  Terrestre Zapadora ! Se defiende mordiendo

## *Heteroscodra maculata*

**Tamaño:** LC unos 5 cm.
**Distribución:** África del Suroeste; bosques tropicales húmedos.
**Hábitat:** Vive en grietas y fisuras de los troncos, o debajo de la corteza suelta. También en las axilas de las hojas de las palmeras.
**Aspecto externo:** Cuerpo de color marrón beige claro con manchas de color marrón oscuro en las extremidades y el opistosoma. Presenta una mancha negra en la parte superior de los tarsos. Las extremidades posteriores son más gruesas.
**Comportamiento:** En caso de peligro intenta huir dejándose caer. Puede morder para defenderse.
**Mantenimiento:** Terrario para especies arborícolas; plantas trepadoras. Cortezas de corcho como escondrijo.
**Especies que necesitan cuidados parecidos:** Especies del género *Stromatopelma.*

## *Poecilotheria pederseni*

**Tamaño:** LC unos 8 cm.
**Distribución:** Sri Lanka; bosques secos.
**Hábitat:** Vive en los troncos de los árboles; en agujeros o bajo la corteza.
**Aspecto externo:** Cuerpo de color marrón grisáceo. Tanto en la parte superior como inferior de las extremidades presenta unas manchas de color marrón negruzco que se alternan con franjas blancas. En la parte superior del opistosoma tiene una franja longitudinal de color marrón claro con el margen negro.
**Comportamiento:** En caso de peligro prefiere huir; puede morder para defenderse.
**Mantenimiento:** Terrario para especies arborícolas; plantas trepadoras. Escondrijo a base de corteza de corcho; también se le puede ofrecer una caja de nidificación de las empleadas para periquitos.
**Especies que necesitan cuidados parecidos:** *P. regalis, P. fasciata.*

## *Cyriopagopus schioedtei*

**Tamaño:** LC unos 7 cm.
**Distribución:** Malasia; pluviselva tropical.
**Hábitat:** Vive en los troncos de loa árboles, en grietas o bajo la corteza. También en zonas de transición.
**Aspecto externo:** Extremidades de color marrón oscuro, escudo amarillento. El opistosoma es de color marrón claro con un dibujo negro en forma de espina de pescado. En las patas tiene unos pelos largos y erectos de color rojo. Los machos adultos y subadultos tienen el cuerpo verdoso.
**Comportamiento:** Si se la molesta intenta huir; pero si se la sigue molestando adopta una postura defensiva (ver pág. 36) y no duda en morder.
**Mantenimiento:** Terrario para especies arborícolas; plantas trepadoras. Escondrijo a base de corteza de corcho.

## *Chromatopelma cyaneopubescens*

**Tamaño:** LC unos 6 cm.
**Distribución:** Venezuela; bosques secos de regiones costeras.
**Hábitat:** Vive en agujeros de las ramas y troncos huecos. También se la encuentra en agujeros de las paredes y muros.
**Aspecto externo:** Extremidades con irisaciones azules; escudo de color verde hoja. La parte superior del opistosoma presenta una gran densidad de pelos rojos.
**Comportamiento:** Si se la molesta intenta huir. Raramente se defiende proyectando sus cerdas urticantes («Bombardeo», ver pág. 36). En el terrario teje telas de gran tamaño.
**Mantenimiento:** Puede vivir tanto en terrarios para especies arborícolas como terrestres. Colocar algunas plantas suculentas (crasas). Corteza de corcho como escondrijo.

## *Chaetopelma gracile*

**Tamaño:** LC unos 5 cm.
**Distribución:** Chipre; bosques y zonas de arbustos.
**Hábitat:** Se la encuentra habitualmente entre las piedras de muros orientados hacia el norte, pero también en tubos horizontales de desagües. En el sur de Chipre se la encuentra con más frecuencia en el suelo y bajo las piedras.
**Aspecto externo:** Los individuos del norte de Chipre son de color casi negro con pelos largos de color marrón claro. El escudo es marrón claro: los individuos del sur de Chipre son de un color marrón más claro.
**Comportamiento:** Si se la molesta intenta huir. Luego se queda quieta, pero puede morder si se siente atacada.
**Mantenimiento:** Terrario para especies terrestres. Escondrijo a base de piedras pegadas entre sí.

## *Selenocosmia himalayana*

**Tamaño:** LC unos 5 cm.
**Distribución:** Nepal y norte de India; bosques caducifolios y de montaña.
**Hábitat:** Vive en los muros que se emplean para separar las zonas en que pasta el ganado, así como bajo las piedras en los bosques caducifolios poco densos.
**Aspecto externo:** Las extremidades son de color marrón oscuro. Los individuos de las tierras bajas tienen las rótulas de color crema o blanquecino, mientras que los que viven en zonas montañosas por encima de los 1.000 m las tienen de color marrón oscuro. El opistosoma es de color marrón oscuro, el escudo suele ser marrón claro o beige.
**Comportamiento:** Si se la molesta se pone en posición de defensa y produce una claro sonido de estridulación (ver pág. 33). Puede morder para defenderse.
**Mantenimiento:** Terrario para especies terrestres. Escondrijo a base de piedras pegadas entre sí.

 Arborícola · Terrestre · Zapadora · ! Se defiende mordiendo

## *Grammostola grossa*

**Tamaño:** LC unos 8 cm.
**Distribución:** Brasil, Paraguay, Argentina y Uruguay; bosques caducifolios y praderas.
**Hábitat:** Bajo las piedras, en galerías excavadas por ella misma.
**Aspecto externo:** Extremidades y opistosoma de color marrón oscuro. Densa cobertura pilosa de color marrón claro, escudo de color cobrizo. En la parte superior del opistosoma tiene una zona plateada con cerdas urticantes.
**Comportamiento:** Si se la molesta procura huir. Puede defenderse del atacante lanzándole las cerdas urticantes de su opistosoma («bombardear»).
**Mantenimiento:** Terrario para especies terrestres. Se pueden colocar plantas trepadoras y cubrir el suelo con musgo. Corteza de corcho como escondrijo.
**Especies que necesitan cuidados parecidos:** *G.rosea, G. pulchra.*

## *Lasiodora parahybana*

**Tamaño:** LC unos 9 cm.
**Distribución:** Brasil; bosques y sabana.
**Hábitat:** Vive bajo troncos podridos y rocas.
**Aspecto externo:** Las extremidades son de color marrón oscuro a negro. Opistosoma y escudo de color negro. Pilosidad muy densa, los pelos de las extremidades son de color marrón grisáceo y los del opistosoma, rojizos.
**Comportamiento:** Si se siente atacada, proyecta sus cerdas urticantes contra el agresor («bombardeo»). Si el agresor no se retira, puede llegar a morderle como defensa.
**Mantenimiento:** Terrario para especies terrestres. Se pueden colocar plantas trepadoras y cubrir el suelo con musgo. Corteza de corcho como escondrijo.
**Especies que necesitan cuidados parecidos:** *L. difficilis*, especies del género *Lasiodorides*.

## *Nhandu chromatus*

**Tamaño:** LC unos 8 cm.
**Distribución:** Brasil; bosques y sabana.
**Hábitat:** Vive bajo troncos podridos y rocas.
**Aspecto externo:** Extremidades y opistosoma de color marrón oscuro a negro. Dos franjas blancas en las rótulas y en las tibias. Franja blanca en la unión de la rótula a la tibia así como en la de la tibia con el metatarso. Escudo de color verde grisáceo. Opistosoma con muchas cerdas largas y rojas.
**Comportamiento:** En caso de sentirse molestada intenta defenderse mordiendo. Posteriormente «bombardea» al agresor con sus cerdas urticantes.
**Mantenimiento:** Terrario para especies terrestres. Se pueden colocar plantas trepadoras y cubrir el suelo con musgo. Corteza de corcho como escondrijo.

## *Haplopelma lividum*

**Tamaño:** LC unos 6 cm.
**Distribución:** Oeste de Tailandia, Myanmar; pluviselvas.
**Hábitat:** Vive en madrigueras que excava en el suelo del bosque.
**Aspecto externo:** Extremidades con irisaciones de color azul verdoso. Opistosoma de color gris oscuro con dibujo no muy destacado en forma de espina de pescado. Escudo de color beige o verde oscuro. En los fémures de las extremidades anteriores tiene muchas cerdas cortas y rojas.
**Comportamiento:** En caso de sentirse atacada procura huir, luego se defiende golpeando con las extremidades anteriores y, por último, puede llegar a morder.
**Mantenimiento:** Terrario para especies zapadoras. Precavar los hoyos con una varilla de madera. No es necesario poner plantas; como mucho, cubrir el suelo con musgo.
**Especies que necesitan cuidados parecidos:** *H. albostriatum, H. minax, Selenocosmia javanensis.*

## *Haplopelma schmidti*

**Tamaño:** LC unos 8 cm.
**Distribución:** Sur de China, norte de Vietnam; pluviselvas de montaña.
**Hábitat:** Excava sus madrigueras en el suelo del bosque.
**Aspecto externo:** Extremidades de color marrón oscuro con numerosas cerdas largas de color amarillento. Opistosoma de color marrón claro con dibujo en forma de espina de pescado muy evidente. Escudo amarillo. Parte superior externa de los quelíceros con cerdas blancas.
**Comportamiento:** En caso de sentirse atacada intenta huir, luego puede defenderse mediante estridulación (ver pág. 33) o mordiendo.
**Mantenimiento:** Terrario para especies zapadoras. Precavar los hoyos con una varilla de madera. No necesita plantas, pero se puede cubrir el suelo con una capa de musgo.
**Especies que necesitan cuidados parecidos:** *Ornithoctonus hainana*, especies del género *Coremiocnemis.*

## *Brachypelma boehmei*

**Tamaño:** LC unos 7 cm.
**Distribución:** México; bosques caducifolios no muy densos.
**Hábitat:** Vive en madrigueras bajo rocas o troncos podridos.
**Aspecto externo:** Opistosoma y fémures y tarsos de las extremidades de color negro. Rótulas, tibias y metatarsos de las extremidades, así como el escudo, de color rojo anaranjado. Las cerdas largas del opistosoma son de color marrón claro.
**Comportamiento:** Si se la molesta intenta huir, se defiende proyectando cerdas urticantes.
**Mantenimiento:** Terrario para especies zapadoras. Precavar las madrigueras con una varilla de madera. Colocar plantas trepadoras o suculentas.
**Atención:** Todas las especies del género *Brachypelma* están incluidas en el Apéndice II del Convenio de Washington (ver pág. 14) y necesitan documentación.



Arborícola · Terrestre · Zapadora · ! Se defiende mordiendo

## *Aphonopelma seemanni*

**Tamaño:** LC unos 6 cm.
**Distribución:** Costa Rica; plantaciones, bosques caducifolios poco densos y vegetación del borde de las carreteras.
**Hábitat:** Excava galerías en el suelo.
**Aspecto externo:** Cuerpo de color negro azulado. Hileras y parte inferior del prosoma de color naranja. Presenta dos franjas blancas en las rótulas y en las tibias, y otra más en los metatarsos.
**Comportamiento:** Si se siente amenazada intenta huir, pero puede defenderse con su mordedura venenosa. Raramente proyecta sus cerdas urticantes.
**Mantenimiento:** Terrario para tarántulas zapadoras. Precavar las madrigueras con una varilla de madera. Puede cubrirse el suelo con musgo.
**Especies que necesitan cuidados parecidos:** *Brachypelma emilia, Brachypelma vagans, Crassicrus lamanai.*

## *Acanthoscurria geniculata*

**Tamaño:** LC unos 8 cm.
**Distribución:** Norte de Brasil; pluviselva tropical.
**Hábitat:** Vive en madrigueras, pero también bajo las rocas y bajo troncos en descomposición.
**Aspecto externo:** Cuerpo de color negro. Cerdas largas de color rojo en el opistosoma. Presenta dos franjas blancas en las rótulas y en las tibias, y una pequeña franja blanca en los metatarsos. Tiene una franja blanca ancha en la inserción de las extremidades.
**Comportamiento:** Si se la molesta, se defiende mordiendo. Si esto no basta, proyecta sus cerdas urticantes.
**Mantenimiento:** Terrario para especies zapadoras o terrestres. En este último caso hay que colocar corteza de corcho como escondrijo. Pueden incluirse plantas trepadoras.
**Especies que necesitan cuidados parecidos:** Especies del género *Theraphosa*.

## *Citharischius crawshayi*

**Tamaño:** LC unos 9 cm.
**Distribución:** Kenia; sabana.
**Hábitat:** Vive en madrigueras en suelos laterínticos duros (variedad de suelos limosos) que excava hasta 1,5 m de profundidad.
**Aspecto externo:** Color marrón rojizo uniforme. Las extremidades posteriores de la hembra son más gruesas y notablemente más largas que las demás. Las extremidades de los machos son normales. Las hembras tienen unos colmillos muy largos que pueden llegar a medir 1,5 cm.
**Comportamiento:** Si la araña se siente atacada, planta cara al agresor y se defiende con una estridulación muy sonora (ver pág. 33) y mordiendo.
**Mantenimiento:** Terrario para especies zapadoras. Precavar las madrigueras con una varilla de madera. Añadir plantas suculentas.
**Especies que necesitan cuidados parecidos:** Especies de los géneros *Ceratogyrus, Pterinochilus* y *Eucratoscelus*.

Se defiende proyectando cerdas urticantes · Produce sonidos · → Términos anatómicos, ver págs. 32/33

# Cuidado a la hora de comprar

A causa de la progresiva destrucción de biotopos por la mano del hombre, muchas especies de tarántulas están viendo su supervivencia muy seriamente amenazada. Las del género *Brachypelma*, por ejemplo, están tan amenazadas que se las ha incluido en el Apéndice II del Convenio de Washington sobre especies en peligro *(cites)*. Y esto repercute en la importación y comercialización de estos animales, ya que el vendedor ha de poder acreditar que han sido obtenidos legalmente. En el caso de ejemplares importados, se deberá disponer de una copia del permiso de importación; si se trata de ejemplares nacidos en cautividad hará falta un documento que lo acredite. También están muy amenazadas algunas de las hermosas tarántulas arborícolas asiáticas del género *Poecilotheria*. Ya se han puesto en marcha algunos proyectos para la protección de estas especies. Pero para evitar que se sigan importando desde sus países de origen es importante conseguir su reproducción en cautividad.

*¿Todo en orden? Antes de comprar una araña hay que observarla detenidamente.*

## ¿Dónde puedo conseguir tarántulas?

Actualmente hay muchas posibilidades para conseguir tarántulas.

➤ Prácticamente todas las tiendas de animales tienen un pequeño surtido de tarántulas, o pueden conseguirlas rápidamente de un mayorista. Sin embargo, la compra no está exenta de riesgos, tanto si se trata de una tienda de animales como de un envío bajo pedido. No podemos exigir que todos los dependientes de tiendas de animales tengan buenos conocimientos sobre tarántulas, especialmente por lo que hace referencia a su edad (ver pág. 15). Tampoco es raro que en las tiendas se vendan animales cuyo sexo, edad o especie no estén correctamente determinados. Por lo tanto, es fácil que alguien compre una tarántula muy vieja y que se le muera al cabo de poco tiempo.

➤ Para fomentar la protección de las especies, es conveniente adquirir solamente ejemplares nacidos en cautividad. La mejor forma de conseguirlos es asistiendo a bolsas de intercambio de arácnidos o buscando en los anuncios por palabras de revistas especializadas. Los ejemplares nacidos en cautividad tienen la ventaja de que casi siempre están muy sanos y que es seguro que se trata de tarántulas jóvenes.

Las fechas y lugares en que se celebran las bolsas de intercambio de tarántulas podrá encontrarlas en Internet o en los anuncios de las revistas de arácnidos y terrarios. La ventaja de acudir a estas reuniones es que allí se puede hablar directamente con los criadores, y éstos siempre le podrán resolver todas sus dudas y asesorarle sobre el cuidado y la reproducción de la especie que le interesa.

*Sinfonía de colores en azul:* Chromatopelma cyaneopubescens *habita en los bosques secos de las regiones costeras de Venezuela.*

## ¿Joven o vieja?

La edad de la tarántula que decida comprar dependerá de si quiere dedicarse a su re-

## Control sanitario: ¿Está sana la araña?

Antes de comprar una tarántula, fíjese bien en el animal para evitar llevarse una araña que esté enferma o muy debilitada.

| **Lo que hay que comprobar** | **Cómo debería ser: su aspecto y comportamiento** |
| --- | --- |
| Prosoma, especialmente el escudo y la fóvea | Libre de pequeños ácaros blancos y redondeados, así como de larvas o pupas de moscas. Las infestaciones parasitarias suelen ser un indicio del estado de debilidad del animal. |
| Extremidades y pedipalpos | Deberán estar todas y enteras. Las extremidades que no están rotas por el trocánter (ver pág. 33), sino por la parte central de uno de los arpejos, pueden plantear problemas en la próxima muda. |
| Opistosoma | No ha de ser menor que el prosoma ni presentar pliegues o arrugas. Esto sería un claro síntoma de deshidratación. No se preocupe si el animal presenta una calva en la parte superior del opistosoma. Probablemente se deba a que la araña ha proyectado sus cerdas urticantes (ver pág. 36) para defenderse. Recuperará sus cerdas en la próxima muda. |
| Comportamiento | Si se la molesta, la tarántula debería esconderse o plantar cara y defenderse (ver pág. 36). |

producción. Si desea conseguir que se reproduzcan rápidamente tendrá que comprar animales adultos, es decir, de una cierta edad.

**Hembras adultas:** Por desgracia es muy difícil estimar su edad con precisión, ya que carecen de elementos de referencia por los que nos podamos guiar. Por lo tanto, si usted compra una hembra de gran tamaño puede tener la mala suerte de que se trate de un ejemplar muy viejo, y que no sólo sea ya incapaz de reproducirse, sino que además le quede poco tiempo de vida. Las hembras de la subfamilia *Theraphosinae* que presentan un pelaje denso en el opistosoma no suelen ser muy viejas y generalmente son aptas para la reproducción. En las hembras muy viejas, la calva que aparece en el opistosoma al proyectar las cerdas urticantes no se recupera después de la muda.

**Machos adultos:** Son fáciles de reconocer por sus órganos sexuales secundarios, los bulbos (ver pág. 42). Los machos sexualmente maduros generalmente poseen un opistosoma simétrico. Así se aprecia que no tienen ningún pliegue debido a un estado de deshidratación. Cuando los machos de la familia *Theraphosinae* tienen el opistosoma cubierto por una densa cobertura pilosa es señal de que hace poco tiempo que han experimentado la muda de madurez. Estos machos son los ideales para conseguir la reproducción.

*Un pequeño salto, y esta* Aphonopelma seemanni *habrá capturado el saltamontes con sus quelíceros.*

## ¿Macho o hembra?

Si usted desea criar tarántulas necesitará, naturalmente, una pareja adulta. Si ya tiene un ejemplar adulto, para sus intentos de cría le hará falta conseguir otro ejemplar adulto del sexo opuesto. Pero si solamente le interesa mantener y observar a estos apasionantes animales, entonces le recomiendo que compre una hembra a la que le falte poco para alcanzar la madurez sexual. Suelen ser más fáciles de mantener y si se las cuida bien pueden vivir muchos años. Sin embargo, los machos no viven mucho después de alcanzar la madurez sexual, y mueren al cabo de tres o cuatro años.

*Diversos estadios de desarrollo en una ooteca de* Haplopelma schmidti*: ninfas y una larva.*

## Tarántulas para principiantes

Como principiante en el cuidado de tarántulas es probable que usted no quiera empezar por reproducirlas, sino que se contente con ocuparse «solamente» de mantener a estos animales. Le aconsejo que compre un ejemplar de araña que aún no sea adulto. Lo ideal es que consiga una hembra cuyo tamaño sea aproximadamente la mitad del de una hembra adulta (ver especies en las págs. 8 a 13). Son animales que ya hace tiempo que han «salido del nido» y cuyo colorido suele ser muy parecido al de las arañas adultas. Su cuidado presenta menos dificultades que el de arañas muy jóvenes.

No es aconsejable que el principiante intente cuidar **arañas muy jóvenes**, ya que estas arañitas suelen ser muy exigentes por lo que respecta a la temperatura y la humedad relativa del aire. Soportan muy mal las condiciones ambientales que no sean totalmente óptimas. Además, también plantean problemas a la hora de comer, especialmente si se las aloja en terrarios demasiado grandes y en los que les cueste acceder al alimento. Las arañas jóvenes comen proporcionalmente mucho más que las adultas, y con más frecuencia. Después de todo, están creciendo.

Las mejores especies para el aficionado son aquellas que no son muy exigentes con el clima del terrario. Por lo tanto, elija especies propias de tierras bajas, como por ejemplo alguna especie de *Avicularia*. Por el contrario, las tarántulas de los bosques húmedos de montaña (como algunas especies del género *Selenocosmia*) toleran muy mal que la temperatura y la humedad relativa del aire no sean exactamente las que necesitan. El cuidado de estas especies deberá quedar reservado a los especialistas.

SUGERENCIA

### Transporte y envío

- El transporte y/o envío de tarántulas es mejor realizarlo durante los meses calurosos del año.
- Elija el medio de transporte más rápido.
- Para el envío en primavera u otoño, coloque a la araña en una caja de plástico, como por ejemplo una caja para grillos. Así no podrá ir de un lado a otro o golpearse durante el transporte. Para que disponga de suficiente humedad, coloque en la caja un trozo de papel de cocina humedecido. La caja con la araña se coloca en una caja de porexpán para aislarla del frío o del calor. Si es necesario, incluya un acumulador de calor.

# Cuestiones acerca de la elección

**¿Dónde puedo encontrar a alguien que entienda de tarántulas?**
Siempre es importante estar en contacto con especialistas, ya que éstos le serán de gran ayuda para identificar las especies y sexar a las arañas, a la vez que le podrán dar todo tipo de consejos para mantenerlas. Pero, ¿dónde encontrar a un especialista? ¡Ningún problema! Los encontrará en cualquier asociación de aficionados a las tarántulas, en las bolsas de intercambio, y en los anuncios por palabras de las revistas especializadas así como en diversos foros de Internet. En algunas asociaciones incluso se organizan cursos de identificación de tarántulas. Allí aprenderá a identificar una araña por lo menos hasta llegar al género. Las fechas y lugares en que se imparten estos cursos las encontrará en Internet o acudiendo directamente a las asociaciones. Pero, por favor, no se impaciente si un experto en arañas no contesta inmediatamente su carta o su e-mail. Los especialistas siempre están muy ocupados.

**¿Es imprescindible que mi nueva araña pase por un periodo de cuarentena?**
Las tarántulas, y especialmente las que han sido capturadas en su hábitat natural, pueden ser portadoras de numerosos parásitos tanto internos como externos, e incluso pueden presentar enfermedades que aún no conocemos. Por lo tanto, es importante que ponga a su nueva araña en cuarentena, sobre todo si es de importación. Así podrá observarla más detenidamente. Por su modo de comportarse, pronto se dará cuenta de si está enferma o tiene parásitos. También es fácil ver si hay parásitos externos correteando sobre su cuerpo. Con la cuarentena evitará que pueda contagiar a sus otras arañas.

**¿Qué tengo que observar durante la cuarentena?**
Fíjese diariamente en el estado general de la tarántula, eventualmente ayudándose con una pequeña linterna.

*El terrario de cuarentena deberá contar con una instalación sencilla pero suficiente.*

Los ectoparásitos tales como ácaros y larvas de moscas (o sus pupas) se eliminan con una solución de alcohol que le recetará el veterinario (ver pág. 57). En cualquier asociación de aficionados a las tarántulas le recomendarán algún veterinario experto en estos animales. Si después de estar de uno a dos meses en cuarentena no se aprecia nada raro en la araña, se puede suponer que debe estar sana. Ahora ya puede trasladarla a un terrario «normal». El terrario de cuarentena deberá lavarlo y desinfectarlo a fondo. Para más detalles sobre la cuarentena, vea el recuadro de al lado.

**? ¿Si no se tiene experiencia con tarántulas, sólo se pueden comprar las especies «para principiantes»?**

En muchos libros sobre tarántulas se clasifican las distintas especies como «aptas para principiantes» o bien «no aptas para principiantes». Se trata de una clasificación muy subjetiva y que generalmente se basa en el modo de defenderse de la araña. Así, las arañas que se defienden mordiendo (ver pág. 36) se consideran automáticamente como «no aptas para principiantes». Pero la decisión de si una especie es apta o no para principiantes debería basarse en los cuidados que requiere. Los animales procedentes de zonas de montaña necesitan unos cambios climáticos diarios y estacionales que al principiante le resultarán muy difíciles de simular en su terrario. Este tipo de tarántulas son las que yo considero «no aptas para principiantes». A muchas de las especies que se defienden con su mordedura se las suele considerar como «no aptas para principiantes». Pero son animales que llevan una vida muy reservada en su escondrijo. Si están bien cuidadas, a la más mínima señal de alarma se esconden a toda velocidad de modo que el aficionado puede manipular el interior del terrario sin correr ningún riesgo. Muchas de las tarántulas que proyectan sus cerdas urticantes (ver pág. 36) son habitualmente consideradas como «especies para principiantes» a pesar de ser más agresivas que las anteriores. Cuando se sienten amenazadas permanecen inmóviles en su posición y proyectan las cerdas urticantes contra el agresor, en este caso, contra su cuidador. Y éstas producen un picor muy desagradable.

MIS CONSEJOS PERSONALES

*Volker von Wirth*

### Así funciona la cuarentena

- El terrario de cuarentena deberá contar con una instalación mínima para que podamos observar en todo momento el estado de la araña. Por otra parte, la tarántula deberá disponer de un refugio en el que pueda esconderse cuando lo desee.
- El suelo se cubre con trozos de papel de periódico o de cocina, sobre el que se coloca un trozo de corteza como refugio y un bebedero.
- Alimente a la araña como haría en un terrario normal (ver págs. 48/49), pero elimine los restos de comida lo antes posible. Cambie el agua a diario porque podría ensuciarse.
- Si aprecia en ella un comportamiento extraño que permita suponer la presencia de parásitos o de alguna enfermedad, traslade su terrario a una habitación en la que no haya otras arañas. Consulte inmediatamente al veterinario.

# Terrarios adecuados

# Alojamiento para especies arborícolas

Consideramos tarántulas arborícolas a aquellas que viven tanto en los troncos de los árboles como en sus ramas y entre el follaje. Las tarántulas son animales solitarios, y cuando dos individuos se encuentran no es raro que luchen entre sí a muerte. Por este motivo, a la mayoría de las especies es imposible mantenerlas en grupo y los terrarios deberán ser individuales. Sin embargo, existen unas pocas especies arborícolas que parecen ser algo más tolerantes con sus congéneres, como es el caso de *Poecilotheria subfusca* y *Avicularia minatrix*. Se pueden mantener varios ejemplares en un terrario para arañas arborícolas que sea lo suficientemente amplio.

*Este pequeño terrario con plantas y superficies para trepar es todo lo que necesita esta tarántula tailandesa del género* Chilobrachys.

**Tamaño del terrario:** Su tamaño no deberá ser menor de 20 × 30 × 30 cm (largo × ancho × alto). En las tiendas de animales encontrará terrarios especiales para tarántulas arborícolas con estas medidas.

## Acondicionamiento

➤ Como sustrato para el terrario puede emplear tierra para flores, colocando un grosor de dos a tres centímetros en función de las plantas que desee colocar. Riegue el sustrato con moderación, pero de modo que siempre se conserve húmedo.

➤ A las tarántulas les gusta permanecer ocultas durante el día, por lo que no deberá faltar una buena rama o un

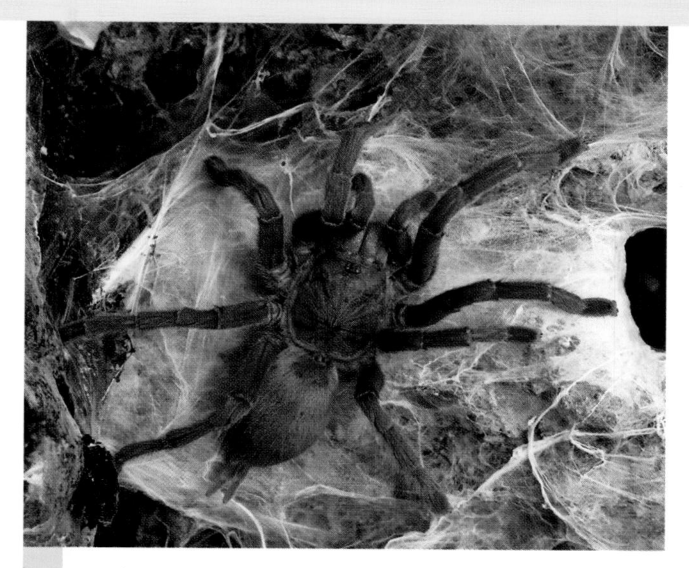

*Muchas de las tarántulas del género* Chilobrachys *tapizan gran parte del terrario con su telaraña.*

trozo de corteza de corcho. Este último es fácil de conseguir en diversos grosores y diámetros. El corcho tiene la ventaja de que no se enmohece ni siquiera con el elevado grado de humedad del terrario.

➤ Naturalmente, no deberá faltar un bebedero. Pulverice diariamente el interior del terrario con agua descalcificada. Así aumentará la humedad relativa del aire a la vez que consigue que las plantas crezcan mejor y que las arañas arborícolas se sientan más a gusto.

## Plantas para el terrario

Dado que la mayoría de las tarántulas arborícolas, como algunas especies del género *Chilobrachys*, suelen cubrir gran parte del terrario con su tela, solamente podrán emplearse plantas muy resistentes.

**Para arañas de las selvas tropicales** convienen en primer lugar plantas trepadoras tales como *Scindapsus*, hiedra, filodendros de hoja pequeña o incluso ficus trepadores *(Ficus pumila)*. Sobre las ramas o cortezas pueden colocarse también algunas bromelias robustas. A las especies del genero *Avicularia* les encanta esconderse en ellas.

**Para las especies propias de lugares secos** se pueden colocar alguntas suculentas (plantas que acumulan agua) tales como las *Sansevieria*. Coloque las plantas en macetas para poder cambiarlas o limpiarlas cuando sea necesario. Si desea plantarlas directamente en el suelo deberá aumentar su espesor, pues con dos o tres centímetros no tienen bastante.

SUGERENCIA

### Iluminación

➤ Dado que las tarántulas son animales nocturnos y crepusculares, no necesitan ninguna iluminación especial. Bastará con colocar sobre el terrario una bombilla o fluorescente de 15 a 24 vatios.

➤ Pero las plantas del terrario sí que necesitan luz para poder desarrollarse. Lo ideal es emplear un fluorescente del tipo «luz de día».

➤ Las luces del terrario solamente deberán encenderse durante diez a doce horas diarias. Así se simula perfectamente el fotoperiodo normal de las zonas tropicales.

# Alojamiento de lujo para especies terrestres

Consideramos tarántulas terrestres a aquellas que viven principalmente en el suelo y que se ocultan bajo las rocas, entre la hojarasca y trozos de corteza, o bajo troncos en descomposición, como *Lasiodora*

*La vida en un muro: un ejemplar de* Chaetopelma gracile *ante su escondrijo.*

*parahybana.* Aquí también consideraremos especies terrestres a aquellas que viven en los muros de piedra o en zonas pedregosas (ver pág. 6).

## Dimensiones y acondicionamiento

El terrario para tarántulas terrestres no deberá medir menos de 20 × 30 × 20 cm. Lo ideal es comprar un terrario con puerta deslizante hacia arriba (ver pág. 28).

**Sustrato:** Para las especies terrestres de bosque, emplee tierra de flores. No es conveniente emplear turba porque cuando se seca ya no se puede volver a humedecer. Para arañas procedentes de lugares secos y esteparios es mejor preparar una mezcla de arena y tierra de limos en proporción 1:1. No hay que emplear nunca arena de cuarcita ya que podría taponar los órganos sensoriales vitales de la araña causándole la muerte. El sustrato deberá tener unos tres centímetros de espesor.

**Escondrijo:** Como escondrijo puede ofrecerle un trozo de corteza de corcho, una maceta partida por la mitad o una cueva de las que se emplean en los acuarios para cíclidos (de venta en tiendas de acuarios). El escondrijo hay que situarlo en la parte posterior del terrario, para que la tarántula se pueda ocultar en él durante el día pero de modo que usted pueda verla si lo desea.

**Bebedero:** A las tarántulas de lugares secos nunca deberá fal-

SUGERENCIA

### La ubicación idónea

- El terrario para tarántulas nunca deberá estar situado junto a una ventana o cerca de ella. La luz solar directa haría aumentar rápidamente la temperatura en su interior y causaría la muerte de los animales. Tenga en cuenta que muchas tarántulas, al ser animales que llevan una vida bastante oculta, son muy sensibles al calor.
- Lo ideal es colocar el terrario para tarántulas en una estantería situada en el rincón más oscuro de la habitación.

*Un terrario bien montado no sólo es muy decorativo, sino que constituye un excelente hábitat para esta* Acanthoscurria geniculata. *Esta especie terrestre vive en las pluviselvas del norte de Brasil.*

tarles un recipiente con agua colocado en la parte delantera del terrario. Puede emplear tanto un bebedero especial para terrarios o simplemente un plato de barro o plástico de los que se colocan bajo las macetas.

**Plantas:** Es muy probable que la tarántula arranque las plantas naturales y que las coloque en otro lugar del terrario. Por lo visto, a las tarántulas les encanta decorar el terrario según sus gustos. Si lo desea puede emplear plantas de plástico y cubrir el suelo con un poco de musgo como decoración.

## Condiciones ambientales

Las tarántulas de bosque necesitan que el suelo se mantenga siempre húmedo. Asegúrese de que en verano no llegue a secarse. Si hace mucho calor puede secarse en cuestión de poco tiempo. Si su tarántula es de un lugar seco, bastará con mantener ligeramente húmeda la zona del escondrijo. Sin embargo, el bebedero deberá estar siempre lleno.

Emplee una bombilla o un fluorescente para proporcionarle unas diez a doce horas de luz al día. Si tiene plantas naturales necesitará una iluminación algo más potente que favorezca su desarrollo y crecimiento.

# Terrario para especies zapadoras

Muchas especies de tarántulas, especialmente de África y Asia, están estrictamente adaptadas a la vida en madrigueras. Estos animales necesitan tener una humedad relativa del aire muy elevada y constante.

*¿Bajo tierra y fácil de observar? Con este tipo de terrario es posible conseguirlo.*

Dado que esto es imposible de conseguir en los terrarios normales, hace algunos años desarrollé un tipo de terrario especial para estas arañas y que permite observar su vida con comodidad. Este tipo de terrario ha acabado haciéndose muy popular para mantener tarántulas zapadoras y actualmente se puede conseguir en bastantes tiendas de animales.

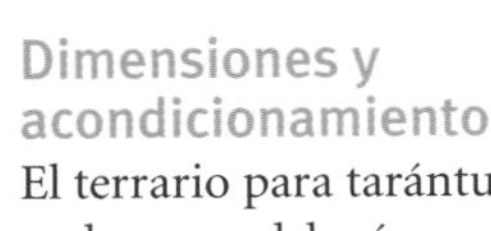

## Dimensiones y acondicionamiento

El terrario para tarántulas zapadoras no debería ser menor de 10 × 25 × 35 cm (largo × ancho × alto). En la parte inferior de uno de los laterales estrechos se coloca una placa ranurada de unos centímetros de ancho. A través de esta chapa ranurada podrá entrar el agua y volverá a salir después de humedecer el sustrato (ver a la derecha). La cubierta del terrario también es de chapa ranurada.

**Sustrato:** El terrario hay que llenarlo con sustrato hasta dos tercios de su altura. Para las tarántulas de bosque se puede emplear tierra para flores. A las de lugares áridos hay que proporcionarles una mezcla de arena y tierra de limos a partes iguales.

**Galerías:** Clave un palo de unos dos centímetros de diámetro en el sustrato ante una de las esquinas delanteras del terrario para iniciar una galería vertical. A la araña le en-

SUGERENCIA

### Cuestión de la humedad relativa del aire

- Es especialmente importante para las especies zapadoras (ver pág. 28). Para mantener constantemente una elevada humedad relativa del aire, es necesario regar el terrario con frecuencia (ver a la derecha).
- Para controlar la humedad puede emplear un higrómetro de los que habitualmente se colocan en los terrarios. Incluso las tarántulas de regiones áridas necesitan que sea superior al 70 %.
- En los terrarios para especies zapadoras no es necesario colocar un bebedero. Estas arañas no cubren sus necesidades hídricas bebiendo, sino a través de la respiración y del alimento.

cantará encontrar este agujero en el suelo y rápidamente se dispondrá a ampliarlo. Dado que la madriguera estará junto al vidrio, usted siempre podrá ver lo que sucede en su interior iluminándolo con una linterna. Si la araña tapiza de tela el interior de la galería y usted ya no puede ver nada, envuelva un palito o una pinza con papel de cocina húmedo y limpie la cara interior del vidrio.

**Plantas:** En este tipo de terrarios recomiendo no incluir plantas, ya que no hay espacio para ellas. Como decoración, puede cubrir el suelo con musgo y hojarasca.

*Tarántula gigante: El cuerpo de* Theraphosa blondi *llega a medir más de 10 cm, lo que la convierte en la mayor de todas las tarántulas.*

## Hidratación del terrario

Coloque el terrario en un recipiente mayor que él, puede ser la bañera, o una caja grande de plástico, y llene dicho recipiente hasta alcanzar el nivel de la tierra del terrario. Por la chapa ranurada de la parte baja del terrario entrará agua en éste y el sustrato la irá absorbiendo. Al cabo de unas horas, el sustrato que antes estaba seco se habrá hidratado por completo y el terrario se podrá retirar del recipiente con agua. Deje que el agua sobrante escurra durante un rato antes de volver a colocar el terrario en su lugar habitual. Esta hidratación del sustrato conviene realizarla cada seis meses. Las arañas lo toleran sin problemas. Muchas veces incluso pasan un rato en el fondo de su madriguera llena de agua. Los terrarios con sustrato arenoso y limoso no hay que hidratarlos de un modo tan enérgico. En estos casos basta con regar el suelo de vez en cuando con una regadera.

# Cuestiones acerca del terrario

**¿Necesitan las tarántulas una temperatura muy elevada?**

Las tarántulas son animales que pasan gran parte de la vida ocultos, y no necesitan temperaturas elevadas. A pesar de que habitan en regiones tropicales y subtropicales, suelen vivir en galerías bastante profundas y en las que la temperatura puede ser de 10 a 15 °C inferior a la que rige en la superficie y en el aire. Cuando tienen demasiado calor intentan profundizar más en el suelo. Por lo tanto, en el terrario no hay que emplear nunca cables ni esterillas calefactoras ya que en este caso la araña tendría más calor cuanto más excavase en el sustrato.

**¿Qué es mejor, un terrario con puerta de deslizamiento vertical o con puertas correderas horizontales?**

Las tarántulas son verdaderas especialistas en fugarse del terrario e intentan pasar incluso por las fisuras más pequeñas. Por este motivo es recomendable que los terrarios para tarántulas arborícolas y terrestres estén provistos de una puerta de deslizamiento vertical, ya que para poder acceder al interior del terrario hay que levantar el vidrio. Y ninguna tarántula tiene la suficiente fuerza como para hacerlo.

**¿Por qué es tan importante la humedad relativa del aire?**

La experiencia nos ha mostrado que las tarántulas zapadoras son especialmente sensibles a la humedad del aire, y que si éste está demasiado seco presentan pliegues en su opistosoma, lo cual es síntoma de deshidratación, y tienen dificultades para mudar. Si falta humedad tampoco se puede conseguir su reproducción, ya que las ootecas se secan rápidamente y las hembras se las comen.

**¿Puedo emplear plantas artificiales en vez de naturales?**

Citharischius crawshayi *vive en las sabanas de Kenia y prefiere un ambiente algo más seco.*

Las plantas artificiales constituyen una buena alternativa a las naturales. En las tiendas de animales y en los garden center encontrará una amplia variedad de plantas artificiales de buena calidad. Estas plantas tienen además la ventaja de que no hay que cuidarlas, pero conviene limpiarlas de vez en cuando con agua hirviendo para eliminar posibles restos de excrementos. En el fondo, a la tarántula le da igual si la planta sobre la que trepa es natural o artificial.

## ¿Con qué frecuencia conviene limpiar a fondo el terrario de la tarántula?

El terrario no hace falta limpiarlo a fondo más que una vez cada bastantes años. Las tarántulas llevan una vida muy reservada y tardan mucho en acostumbrarse a su entorno. Pueden tardar semanas, e incluso meses, en aceptar un nuevo escondrijo o una nueva madriguera. Si se desmonta el terrario una vez al año para efectuar una limpieza a fondo, a la araña le resultará muy difícil adaptarse a su nuevo hogar. Algunos de mis terrarios con tarántulas aún están tal y como los instalé hace más de ocho o diez años. Y las arañas que viven en ellos gozan de un excelente estado de salud. Sin embargo, lo que sí que hay que hacer regularmente es retirar con una pinza los restos de comida, excrementos y hojas muertas que pueda haber por el terrario. La suciedad de la cara interior de los vidrios se puede eliminar limpiándolos con un paño húmedo. Pero recuerde que en todos los trabajos de limpieza deberá emplear solamente agua tibia, y nunca ningún tipo de detergente o producto de limpieza.

## ¿Cómo puedo observar a mi tarántula si es de costumbres nocturnas o crepusculares?

Si usted enciende las luces por la noche para ver lo que hace su araña, ésta se asustará y volverá a esconderse en su refugio. Pero hay un truco para poder observar a las tarántulas de noche sin molestarlas: ilumine el terrario por la noche con un fluorescente o una bombilla de color rojo. Las tarántulas no perciben la luz roja. Para las arañas sigue estando oscuro, y usted podrá observarlas sin problemas.

MIS CONSEJOS PERSONALES

*Volker von Wirth*

### El calor necesario

- La mayoría de las tarántulas que le presento en este libro necesitan una temperatura de 22-28 °C, y no les hace ningún daño que por la noche baje a 18-20 °C.
- Para mantener el terrario a la temperatura adecuada generalmente basta con el calor que irradia la fuente de iluminación (ver pág. 23).
- Pero también puede proporcionarles más calor colocando un cable calentador por la cara externa de la pared posterior del terrario.
- Controle la temperatura regularmente con un termómetro para terrarios. Puede dejarlo fijo en el interior del terrario, o ponerlo sólo de vez en cuando.
- En los terrarios para tarántulas no es nada aconsejable emplear focos que calienten mucho una pequeña zona muy delimitada.

# Descubrir y observar

# Anatomía y morfología

El cuerpo de la tarántula se divide en dos partes: cefalotórax anterior o prosoma y abdomen posterior u opistosoma. Ambas se unen por una región denominada peciolo.

**Del *prosoma*** parten las extremidades (patas, pedipalpos y quelíceros). Está protegido por dos fuertes placas quitinosas: escudo (superior) y esternón (inferior). En la cara interna de ambas placas se hallan los puntos de inserción de los músculos, que desde el exterior se aprecian en forma de pequeñas hendiduras: las sigilas del esternón y la fóvea del escudo. Su forma es un carácter importante para la determinación de la especie. En el prosoma también se encuentran el sistema nervioso central, parte del tracto digestivo y muchos músculos y terminaciones nerviosas.

A pesar de tener ocho ojos, las tarántulas solamente ven contrastes de luz y oscuridad.

**En el *opistosoma*** se encuentran el corazón, que es alargado, parte del intestino y los órganos sexuales primarios, así como los pulmones y las glándulas que segregan la seda. La piel del opistosoma es muy fina y puede lastimarse fácilmente en caso de caída, especialmente si se trata de una tarántula bien alimentada, ya que tendrá la piel muy tensa.

**Colmillos venenosos:** Las glándulas venenosas se encuentran en el primer arpejo de los quelíceros y están conectadas al extremo de los colmillos mediante un fino conducto. El veneno sale por un pequeño orificio para resultar más eficaz cuando el animal muerde y lo inyecta en posición defensiva o para atacar a una presa.

## Órganos sensoriales

**Ojos:** El área ocular está situada en el extremo anterior del escudo y posee generalmente ocho pequeños ojos. Se trata de ojos muy simples y primitivos que probablemente sólo distinguen luces y sombras. Con ellos no es posible tener una vista muy aguda.

**Órganos táctiles:** Son muy numerosos y están distribuidos por todo el cuerpo de la tarántula, y especialmente por sus extremidades. En primer lugar tenemos diversos tipos de estructuras pilosas, los tricobotrios, que perciben los movimientos del aire, y las cerdas táctiles, que captan las vibraciones del suelo o del aire. Las tarántulas poseen también unas cerdas gustativas (cerdas quimiotáctiles) en la región bucal que les permiten analizar el sabor de sus presas. En las extremidades de las tarántulas sudamericanas encontramos numerosas púas que, según estudios muy recientes, sirven para que la araña controle su tensión sanguínea durante la muda (ver pág. 35). En las articulaciones entre los distintos arpejos de las extremidades poseen también unos organos sensoriales que les permiten controlar la posición de las patas.

## Colorido

La coloración de las tarántulas suele estar en consonancia con su modo de vida y el lugar en el que viven. Las especies terrestres y zapadoras suelen cazar al acecho, y se camuflan con una coloración oscura y uniforme. Las tarántulas de lugares áridos no es raro que tengan un color marrón claro parecido al del suelo, como es el caso de *Citharischius crawshayi* o *Aphonopelma chalcodes*. Las tarántulas arborícolas cazan de un modo más activo que las terrestres, y para no ser detectadas antes de tiempo suelen poseer una coloración que las confunde con el medio en que viven. Así, las arañas que viven entre el follaje suelen tener una coloración verde oscura, como las especies del género *Avicularia*. Sin embargo, las que viven en los troncos de los árboles acostumbran a tener bonitos dibujos en gris, blanco y negro, como vemos en las especies de los géneros *Heteroscodra* y *Poecilotheria*.

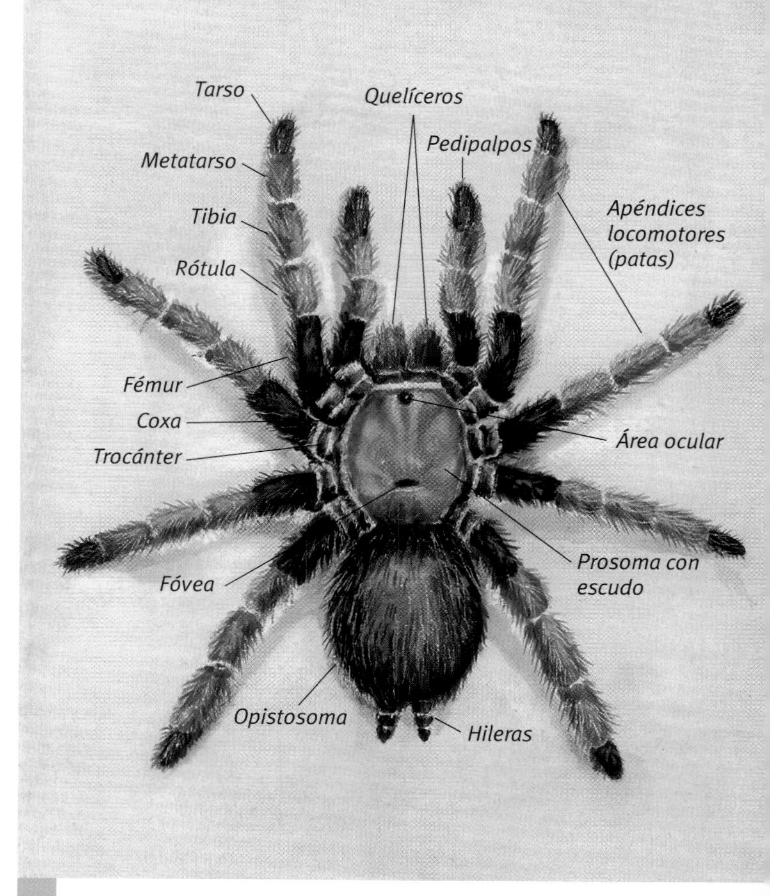


*Esquema de la vista dorsal del cuerpo de una tarántula basado en un ejemplar de la especie* Brachypelma boehmei.

## Arañas ruidosas

Las tarántulas pueden emitir diversos sonidos. Los machos, por ejemplo, durante el cortejo nupcial tamborilean golpeando el suelo con los pedipalpos para atraer la atención de las hembras y animarlas a aparearse. Además, muchas tarántulas poseen unos órganos de estridulación que les permiten emitir un sonido

parecido a un chirrido y que emplean para ahuyentar a sus enemigos. Los órganos de estridulación suelen estar formados por unas estructuras córneas que se encuentran entre el segmento más interno (coxa) de los pedipalpos y

La tarántula emplea sus potentes colmillos para inyectar veneno a sus presas.

los quelíceros, o de los pedipalpos y el primer par de extremidades locomotoras. Su estructura es un carácter muy importante para determinar la especie a que pertenece el animal. La estridulación de una tarántula que se siente agredida suele ir acompañada de un alzamiento del prosoma y de las extremidades anteriores. Esta postura amenazante (ver página 36) es la última advertencia que le da al agresor para que se retire sin que le sucede algo más grave.

## Hileras

En el extremo posterior del opistosoma se encuentran las cuatro hileras, siendo el par posterior más largo que el anterior. En las hileras se encuentran numerosas salidas de las glándulas que producen la secreción con la que las tarántulas tejen sus diversos tipos de telas, sea para la ooteca (ver pág. 43) o para la muda (ver pág. 35).

## La muda

Al crecer, todas las arañas tienen que mudar periódicamente. Y al hacerlo regeneran también las extremidades que hubiesen podido perder. Las tarántulas jóvenes mudan con más frecuencia que las adultas, haciéndolo varias veces al año. Las hembras adultas generalmente no mudan más de una vez al año, los machos adultos ya no mudan más. La muda no es un proceso exento de riesgos, especialmente para las tarántulas grandes. Las hembras adultas pueden invertir bastante tiempo en ello, y durante ese tiempo están totalmente desprotegidas. Varias semanas antes de la muda ya empieza a formarse una nueva piel bajo la vieja. En las tarántulas que tienen una calva en la parte superior del opistosoma, por haber re-

**SUGERENCIA**

**¡Cuidado! ¡La tarántula es muy delicada cuando acaba de mudar!**

- Si su tarántula acaba de mudar, durante los próximos días no la moleste para evitar que intente huir o defenderse. La piel de la araña está aún muy blanda y podría causarse lesiones o deformaciones en las extremidades, que luego conservaría por lo menos hasta la próxima muda. Al cabo de una semana ya podrá retirar la muda (exuvio) del terrario y darle de comer por primera vez.

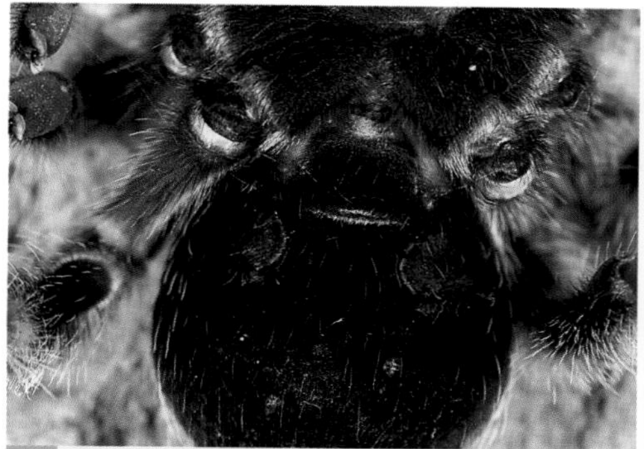

1 **Hembra subadulta**

Las hembras que aún no han alcanzado la madurez sexual (subadultas) solamente se diferencian de los machos por la zona inferior de su opistosoma situada entre los pulmones laminares (órganos respiratorios). Los orificios de salida de los órganos sexuales femeninos se encuentran en la ranura situada entre ambas aberturas pulmonares.

2 **Macho subadulto**

En los machos subadultos encontramos entre las aberturas pulmonares anteriores una corona semicuircular lampiña que rodea un punto negro. Cuando el macho alcance la madurez sexual, en ese punto negro poseerá numerosas hileras que luego empleará para producir la tela espermática.

pelido alguna agresión lanzando sus cerdas urticantes, se aprecia claramente la aparición de la nueva piel: unas tres semanas antes de la muda se oscurece su «calva».

**Así tiene lugar la muda:**

➤ Cuando la tarántula se dispone a mudar se retira a su refugio, lo cierra con telaraña y teje una tela más gruesa para recubrir el fondo (tela de muda).

➤ Un poco más tarde se coloca del revés sobre esta tela y bombea gran cantidad de hemolinfa (la «sangre» de los artrópodos) al prosoma. El aumento de presión hace que se rasgue el borde del escudo y éste se pliegue hacia un lado o hacia atrás.

➤ Ahora la araña aumenta la presión en sus extremidades para salir de la piel vieja. Las espinas de las extremidades hacen fuerza contra la piel vieja para evitar resbalar de nuevo en ella. Durante este proceso el animal segrega un fluido exuvial que actúa como lubricante y le ayuda a salir de su antigua piel. Para que éste no se evapore con demasiada rapidez es necesario aumentar la humedad del terrario a base de humedecer con agua tibia la zona en que se encuentra el escondrijo de la araña.

➤ Cuando la tarántula ya se ha desprendido de su piel todavía permanece de espaldas durante un rato y realiza ejercicios de estiramientos con sus patas. Así mantiene la flexibilidad de sus articulaciones. Poco después vuelve a colocarse en posición normal.

# Cosas de tarántulas

Las tarántulas llevan en este mundo más de 300 millones de años, y durante este tiempo han desarrollado unas pautas de comportamiento muy interesantes y que nosotros podemos observar en el terrario.

*La tarántula adopta esta postura defensiva para mostrar sus colmillos al adversario.*

## Tácticas defensivas

Las tarántulas tienen muchos enemigos, por lo que se han visto obligadas a desarrollar diversas estrategias para poder defenderse de ellos. En principio, la mayoría de las especies intentan huir ante el menor peligro. Pero si no pueden hacerlo, plantan cara.

**«Bombardeo»:** Las tarántulas americanas emplean las extremidades posteriores para lanzar las cerdas urticantes del opistosoma contra el enemigo. Estas cerdas poseen unos garfios con los que se enganchan a la piel del agresor y le producen un escozor muy desagradable. Si las cerdas urticantes entran en contacto con las mucosas nasales producen irritación y secreción durante mucho rato. Si alcanzan a los ojos, la irritación es extremadamente molesta.

**Posición de ataque:** Las tarántulas de Asia, África y Australia carecen de cerdas urticantes, pero se defienden adoptando una postura agresiva en la que muestran los quelíceros y sus potentes colmillos venenosos. La araña se gira hacia el agresor, alza el prosoma y las extremidades anteriores y le enseña el color rojo de su región bucal así como los colmillos dispuestos para el ataque. Muchas tarántulas asiáticas acompañan esta exhibición con una estridulación claramente audible (ver pág. 34). Muchas veces se excitan tanto al hacerlo que segregan una gota de veneno por la punta de sus colmillos.

**Mordedura:** Si el agresor no se deja intimidar por esta postura de ataque, la araña intentará aturdirlo a base de golpearle fuertemente con las extremidades anteriores. El golpe puede llegar a ser muy fuerte. Si se lo dan a un ratón, por ejemplo, éste deambula durante unos momentos por el terrario completamente aturdido. Si el agresor sigue sin hacer caso a esta última advertencia, la araña le muerde con todas sus fuerzas.

**Lanzamiento de excrementos:** Ésta es otra de sus técnicas de defensa, pero más rara. La araña se gira para mostrar su opistosoma al agresor y lanzar un chorro de excrementos contra él. Esto quizás no perjudique mucho a su enemigo, pero la araña apro-

*Cuando* Theraphosa blondi *se siente amenazada proyecta sus cerdas urticantes contra el adversario. Su opistosoma se quedará más o menos calvo hasta la próxima muda.*

vecha el momento de sorpresa para huir velozmente.

## Captura de presas

En la naturaleza, las tarántulas se alimentan principalmente de artrópodos tales como coleópteros, mariposas nocturnas, polillas, saltamontes y otras arañas. Tampoco dejan pasar pequeños vertebrados (ver pág. 48). No es raro que lo primero que coman las arañitas al salir de la ooteca sea un congénere más débil. En algunas especies es habitual que cuando las prelarvas (ver pág. 7) salen del huevo se alimenten de otros huevos de la ooteca. Es probable que estos huevos tengan exclusivamente esa finalidad, por lo que los denominamos huevos alimenticios.

Las tarántulas cazan al acecho, y generalmente se sitúan por la noche a la entrada de su escondrijo a la espera de alguna presa. Cuando una posible presa se acerca a la araña, ésta la atrapa rápidamente y le muerde con sus colmillos. En ese momento inyecta el veneno para matar a la presa.

Solamente las arañas muy hambrientas y las de costumbres arborícolas van en busca de sus presas. Pero nunca se alejan mucho de su escondrijo.

**Cómo come la araña:** Las arañas tienen un esófago muy es-

trecho, por lo que no pueden engullir presas grandes. Por tanto, inyectan sus jugos digestivos en la presa para que ésta se licúe y luego poder succionarla. Esto hace que para consumir presas grandes puedan necesitar varias horas. Al final solamente queda una pequeña bola con los restos indigeribles de la presa, que en los artrópodos está formada por quitina y en los vertebrados contiene los huesos de la víctima.

## Comportamiento social

Al igual que las demás arañas, las tarántulas son animales solitarios. Cuando se encuentran dos tarántulas terrestres es frecuente que luchen a vida o muerte. Pero algunas tarántulas se muestran más tolerantes entre sí, especialmente las especies arborícolas. Viven en un medio con menos espacio libre y han de aprender a compartirlo con sus congéneres. Cuando se encuentran dos tarántulas arborícolas suelen tamborilear con sus extremidades anteriores y luego siguen su camino.

**Formas de convivencia:** De todos modos, también hay es-

*Pareja de* Poecilotheria pederseni *durante el cortejo nupcial. La hembra es la araña de la izquierda; a la derecha vemos al macho perfectamente camuflado. Estos animales tamborilean y se acarician mutuamente.*

*Las tarántulas pueden extender y retraer sus uñas como los gatos.*

pecies en las que muchos individuos pueden compartir un mismo escondrijo, incluso siendo de tamaños muy distintos, y que son capaces de alimentarse de una misma presa. Por ejemplo, si se dispone de un terrario bastante amplio pueden mantenerse varios ejemplares de *Poecilotheria subfusca*. En terrarios grandes (50 × 50 × 50 cm) pueden mantenerse varios ejemplares de algunas especies de *Avicularia*, pero generalmente cada animal construye su propio escondrijo. En algunas especies asiáticas he podido observar una convivencia muy peculiar. Así, después del apareamiento, el macho de *Haplopelma schmidti* se instaló en la madriguera de la hembra. Lo dejé allí para ver qué pasaba y cuál era la reacción de la hembra. Pero su compañera lo aceptó «en casa» y convivió con él durante cuatro meses. Pero un día lo mató para evitar que se acercase a la ooteca.

En la naturaleza también encontramos casos de tarántulas que conviven con animales de otras especies. En América del Sur hay especies que comparten su madriguera con ranas. Y lo mismo se ha citado de una especie norteamericana del género *Aphonopelma*.

## Locomoción

La locomoción de las tarántulas se corresponde a lo que denominamos ritmo en diagonal. Es decir, que se alternan dos grupos de apéndices locomotores (patas); por ejemplo, las patas 1 y 3 del lado izquierdo y las patas 2 y 4 del lado derecho. La parte inferior de los tarsos y metatarsos (ver pág. 33) es muy peluda. Estas cerdas, llamadas escópulas, tienen su extremo dividido en miles de pequeñas prolongaciones que crean una fuerza de adhesión que la araña aprovecha para sujetarse a superficies muy lisas e incluso trepar por ellas. Cuando la tarántula camina sobre una superficie rugosa, se sujeta a ella mediante las uñas pares que poseen en sus tarsos. Las tarántulas, al igual que los gatos, pueden retraer o extender las uñas a voluntad.

SUGERENCIA

### Éste es el tamaño que han de tener las presas

Para despertar el instinto de caza de la araña, es necesario ofrecerle presas vivas. Muchos principiantes cometen el error de ofrecerles a sus tarántulas unas presas demasiado pequeñas.

- A las tarántulas grandes hay que darles unas presas cuyo tamaño sea similar al del prosoma de la araña.
- A las arañas pequeñas, y a las «bebés», se les han de ofrecer presas vivas del mismo tamaño que la propia araña.

## Aprenda a interpretar el comportamiento de las

# tarántulas

¿Entiende el idioma corporal de las tarántulas? Aquí descubrirá qué es lo que el animal quiere expresar con su comportamiento ? y cómo tiene que reaccionar usted en cada caso →.

La tarántula hembra lleva la ooteca de un lado a otro.

? Cuida de su ooteca con las crías.

→ Quítele la ooteca a la hembra si desea poder sacar adelante las crías (ver pág. 45).

La araña levanta amenazadoramente su prosoma y las patas delanteras.

? Es probable que se sienta amenazada por usted.

→ Deje de trabajar en el terrario y continúe cuando la araña se haya tranquilizado.

La tarántula lanza sus cerdas urticantes contra usted.

? Es probable que usted se haya acercado demasiado a ella.

→ Procure que las cerdas urticantes no le lleguen a los ojos o a las mucosas, especialmente si usted es alérgico.

Una araña está quieta y perfectamente camuflada contra la corteza.

? Está al acecho de alguna posible presa.

→ Es su comportamiento natural. Observe lo que hace sin molestarla..

En el terrario parece haber dos arañas, una «viva» y otra «muerta».

? La araña se ha desprendido de su piel vieja.

→ Es algo normal. Las arañas sólo pueden crecer si mudan la piel.

La araña está en la entrada de su madriguera.

? Tiene hambre y está a la espera de alguna presa.

→ Si ya ha pasado algún tiempo desde la última vez que le dio de comer, ofrézcale una presa viva.

# Descendencia a la vista

El cuerpo de los machos sexualmente maduros se diferencia claramente de los de aquellos que aún no han alcanzado la madurez sexual. Sus extremidades son más largas con relación al cuerpo y, en algunas especies, en la parte inferior de las tibias de las extremidades anteriores les aparecen unos garfios que conocemos como apófisis tibiales (ver pág. 45). Además, los machos adultos tienen unos órganos copuladores (bulbos) muy característicos situados en el extremo de los pedipalpos. El macho los emplea para hacer llegar su esperma a la abertura genital de la hembra.

> *¡Todo un mundo por descubrir! Una pequeña* Haplopelma schmidti *sale de la ooteca.*

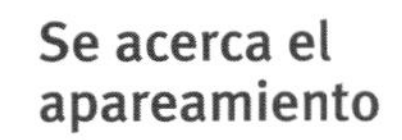

## Se acerca el apareamiento

El esperma se produce en los testículos, que están situados en el opistosoma. Para llevarlo hasta los bulbos, poco después de su muda de madurez el macho construye una tela rectangular y horizontal cerca del suelo. Es aproximadamente de su mismo tamaño. En el centro de esta tela espermática teje una zona especialmente densa. Luego se arrastra marcha atrás bajo la tela y frota su opistosoma contra la zona más densa. Al cabo de poco tiempo surge una gota de esperma por su apertura genital y queda fija en esa zona de la tela. Luego el macho vuelve a trepar a la tela y llena sus bulbos copuladores con el esperma. Ahora el galán ya puede ir en busca de compañera. Es el momento de llevar al macho junto a la hembra que ya estará esperando en el terrario de apareamiento.

## Apareamiento

Cuando un macho dispuesto a aparearse se encuentra con una hembra de su misma especie, intenta llamar su atención tamborileando con sus extremidades anteriores contra el suelo. Si la hembra no está receptiva intentará ignorarlo, pero si está lista para el apareamiento le contestará tamborileando también con sus extremidades anteriores y saldrá de su refugio. Cuando ambos animales se encuentren por primera vez en el marco del cortejo nupcial, el macho intentará colocarse bajo la hembra para introducir varias veces sus órganos copuladores en su abertura genital. Según las especies, esto puede durar entre pocos segundos y bastantes minutos. Inmediatamente después del apareamiento, el macho se separa de la hembra de forma rápida y brusca. Generalmente logra salvar la vida. Las hembras sólo suelen matar y comerse al macho si tienen mucha hambre o si éste ha sido especialmente imprudente.

## Desove y cuidado de las crías

En la naturaleza, el macho irá en busca de otras hembras dispuestas a aparearse, mientras que la hembra ya inseminada se retrae a su escondrijo. Durante las siguientes semanas y meses se preparará para la agotadora labor de crear la ooteca. Intenta comer tantas presas como puede para disponer de suficientes reservas energéticas. Al cabo de algunas semanas, generalmente al finalizar la época de lluvias, la hembra cierra su escondrijo con tela y empieza a construir la ooteca. Para ello empieza por forrar las paredes de su escondrijo con telaraña. Luego construye un pequeño plato sobre el suelo sobre el cual deposita los huevos. A medida que los huevos van saliendo de su cuerpo son fecundados por el esperma que había retenido en las espermatecas. Después del desove envuelve toda la puesta con varias capas de tela. Para finalizar, rasga la tela de las paredes laterales y la cose a la de la ooteca. Una vez lista la ooteca, la hembra la defenderá con su vida hasta que eclosionen los huevos que contiene.

Poecilotheria pederseni *durante el apareamiento. Después, el macho tendrá que huir a toda velocidad para no ser devorado.*

# Cuestiones acerca del comportamiento y la reproducción

**¿En que tipo de recipiente hay que colocar a las tarántulas para que se apareen?**
Lo ideal es emplear un terrario de apareamiento. Éste deberá ser bastante mayor que los terrarios en que habitualmente viven las arañas, pero estará acondicionado del mismo modo. La hembra hay que colocarla unas semanas antes del apareamiento para que se acostumbre al nuevo entorno y pueda tejer sus propios hilos por él. Luego se coloca al macho. Si el intento no tiene éxito, retire al macho del terrario de apareamiento y vuelva a probarlo en los próximos días.

**¿Qué puedo hacer si la hembra no reacciona ante el cortejo del macho?**
Siempre puede suceder que los miembros de la pareja no se lleven bien durante el primer intento de apareamiento. En estos casos lo más práctico es dividir el terrario de apareamiento en dos mediante un marco con una malla. Las arañas perciben mutuamente su presencia a través de la malla y al cabo de poco tiempo verá como ambos animales tamborilean con sus patas delanteras. Es el momento de retirar la separación de malla. Lo habitual es que las arañas se apareen al cabo de poco tiempo. Otra posibilidad consiste en colocar al macho durante algunos días en una caja para grillos y situarla cerca de la entrada del escondrijo de la hembra. Tampoco en este caso suelen tardar mucho en estar dispuestas para el apareamiento.

**¿Qué hacen los machos para evitar ser devorados durante el apareamiento?**
En algunas especies, los ma-

*El terrario de apareamiento deberá ser mayor que los terrarios en que habitualmente viven las tarántulas.*

chos poseen unas apófisis tibiales (ver pág. 42) con las que sujetan los quelíceros de la hembra durante el apareamiento y la mantienen a una cierta distancia. En otras especies, el macho acaricia el esternón de la hembra durante el apareamiento. Las caricias apaciguan a la hembra y evitan que incluya al macho en su dieta.

### ¿Cuándo nacen las crías?

Los huevos de la ooteca eclosionan al cabo de siete a ocho semanas y nacen las prelarvas (ver pág. 7). Mudan al cabo de dos semanas y pasan a la fase larvaria. Durante este tiempo, permanecen en el interior de la ooteca. Al cabo de dos semanas más, las larvas mudan y pasan al primer estadio de ninfa, momento en que la madre rasga la ooteca y permite que las arañitas salgan al exterior. Ya no permanecerán mucho tiempo más en el refugio de la madre.

### ¿Qué puedo hacer con todas las arañitas que saldrán de la ooteca?

Según las especies, la ooteca de una tarántula puede contener hasta mil arañitas. Dado que no va a poder mantenerlas a todas, deberá quitarle la ooteca a la madre. Ábrala y fíjese en cuál es el estado de desarrollo de la prole. Si todavía están en fase larvaria o prelarvaria, trasládelas a una cajita para grillos sin la ooteca. Forre el interior con papel de cocina húmedo. En cuanto las arañitas hayan mudado para pasar al estadio de ninfa hay que alojarlas individualmente en recipientes de carretes fotográficos. Para ello hay que llenar cada envase con tierra hasta la mitad y perforar un par de orificios de ventilación en la tapa. En estos envases –pero sin tierra– también se pueden enviar las arañas.

### ¿A quién puedo darle los juveniles que no necesite?

La mejor oportunidad para desprenderse de los juveniles consiste en acudir a bolsas de intercambio de tarántulas y animales de terrario. Los lugares y fechas en que se celebran estos eventos los encontrará en las revistas especializadas y en Internet (ver pág. 60). También puede ofrecer sus animales en los anuncios por palabras de Internet y de las revistas y boletines de asociaciones.

## MIS CONSEJOS PERSONALES

*Volker von Wirth*

### Machos de alquiler

- Intente siempre aparear un macho adulto varias veces con varias hembras. Para que ninguna hembra se lo coma durante el apareamiento, esté atento y tenga una pinza a mano para separar inmediatamente a las arañas en caso de que la vida del macho esté en peligro.
- Si usted no posee más hembras de esa especie, entonces puede ofrecer su macho como semental poniendo anuncios en Internet o en revistas especializadas, o llevándolo a una bolsa de intercambio de tarántulas.
- Lo habitual es que el propietario del macho adulto se lleve la mitad de la descendencia que se obtenga.
- Tenga en cuenta que en el caso de un macho prestado no existe ninguna garantía de que la reproducción culmine con éxito. No es raro que la hembra no construya la ooteca o que se la coma poco después.

# Sanas y en forma

# Lo que les gusta a las tarántulas

En la naturaleza, las tarántulas se alimentan principalmente a base de grandes invertebrados tales como insectos, miriápodos y otros arácnidos. De vez en cuando también capturar pequeños vertebrados tales como serpientes, ranas, lagartijas, o pequeños roedores. Las tarántulas arborícolas también consumen ocasionalmente polluelos que atrapan en los nidos. De ahí les viene que también se las conozca como «arañas pájaro». En el siglo XVII, la conocida naturalista Maria Sibylla Merian realizó un grabado en cobre en el que mostraba a una hembra de *Avicularia* comiéndose a un colibrí, escena que ella misma había presenciado durante un viaje a Surinam.

> *Trofeo de caza: esta* Grammostola rosea *está saboreando el grillo que acaba de capturar.*

Cuando las tarántulas grandes abandonan su escondrijo para buscar uno nuevo, por ejemplo después de unas lluvias intensas, puede suceder que se apropien de la madriguera de un roedor, que expulsen a su anterior propietario y que se coman a las crías.

**Los grillos** constituyen el alimento ideal para las tarántulas, y podemos ofrecérselos a todas las arañas.

## Cómo comen las arañas

Las arañas han desarrollado un modo muy peculiar de alimentarse. Digieren el alimento fuera de su cuerpo. Después de matar a la presa con su mordedura venenosa, le inyectan los jugos digestivos. La acción de los enzimas digestivos hace que ésta se licúe al cabo de poco tiempo y la araña pueda succionar la papilla alimenticia en que se ha convertido. Este proceso se repite varias veces hasta que de la presa solamente quedan unos restos indigeribles.

Las tarántulas poseen numerosos dientes en la parte inferior del primer segmento de los quelíceros con los que trituran a su presa hasta volverla irreconocible, y con ello facilitan la acción de los jugos digestivos. Un rato después de haber comido, la araña expulsa algo de papilla alimenticia. Es probable que esto sirva para limpiar el filtro que posee en la región bucal para evitar ingerir trozos grandes de alimento.

Las arañas pueden almacenar el alimento en el intestino y en los sacos ciegos durante meses, lo cual les permite sobrevivir largos periodos de ayuno impuestos por causas naturales tales como el clima o la vigilancia de la ooteca. En un experimento, una tarántula vivió durante casi dos años sin tomar nada más que agua. Es muy importante que las tarántulas siempre tengan a su disposición un recipiente con agua para beber. También es necesario que el sustrato esté lo suficientemente húmedo y que la humedad relativa del aire sea bastante elevada, ya que las tarántulas cubren sus necesidades hídricas principalmente a través de la respiración.

*¡Por fin comida! Una* Grammostola rosea *espera impacientemente el saltamontes que le ofrece su cuidador.*

## La alimentación – esto es importante

| | |
|---|---|
| No darles insectos del campo | A las tarántulas no hay que darles insectos capturados en la naturaleza, y en algunos lugares está prohibido capturar «plancton de pradera» pasando redes sobre la vegetación. Además, estos insectos pueden contener gusanos u otros parásitos que luego pasarían a las arañas y que constituyen un gran peligro para ellas. |
| Sólo hay que darles presas vivas criadas en cautividad | Actualmente, en las tiendas de animales podemos encontrar una buena variedad de insectos vivos muy nutritivos como alimento. Lo mejor es encargarlos directamente a un criador. Así los recibirá en perfecto estado ya que normalmente los empaquetan el mismo día en que se realiza el envío. |
| Observe a la araña mientras come | No le dé demasiado de una vez. Si la araña aún está saciada o se dispone a mudar, no comerá nada. Si deja insectos sueltos por el terrario pueden mordisquear las plantas e incluso atacar a la araña. |
| ¿Cuánto y cada cuándo hay que darles de comer? | A los animales adultos hay que darles dos o tres presas vivas una vez a la semana, a los juveniles dos veces a la semana. En cuanto al tamaño de las presas, vea la sugerencia de la página 39. |
| ¿A qué hora hay que darles de comer? | A las tarántulas es mejor ofrecerles las presas vivas poco antes de que inicien su actividad, es decir, a última hora de la tarde. |

# Cuidados básicos

Las tarántulas son animales autosuficientes y que requieren muy pocos cuidados. Dado que se estresan mucho ante cualquier molestia, deberá reducir los cuidados del terrario al mínimo.

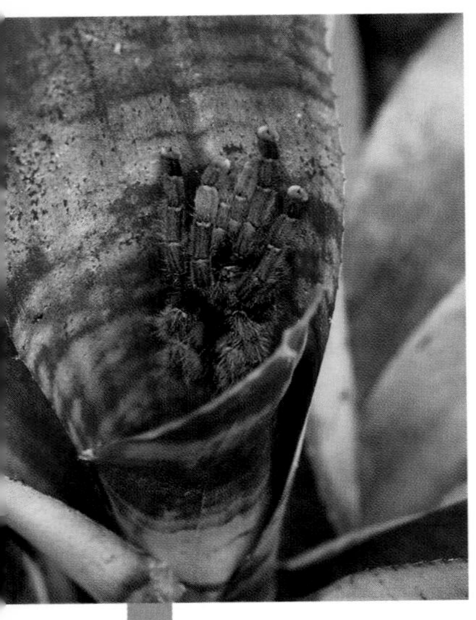

*A* Avicularia minatrix *le encanta esconderse en el embudo formado por las hojas de las bromelias.*

## Cuidado con la araña

Cuando trate con tarántulas o efectúe los trabajos de limpieza del terrario es muy importante que no pierda a los animales de vista, especialmente si se trata de especies cuya principal defensa es la mordedura (ver págs. 8 a 13). Le recomiendo que cuando limpie el interior del terrario lo haga con movimientos enérgicos y algo bruscos en vez de con sigilo. Así la araña se asustará un poco y se esconderá rápidamente en su refugio, con lo que ya no supondrá ningún peligro. Por el contrario, si actúa lentamente y con delicadeza, puede suceder que la araña confunda su mano con una presa y le ataque.

**Los cuidados diarios** se limitan a observar a la araña y asegurarse de que está bien de salud. Esto es más fácil de comprobar en las especies arborícolas y terrestres que en las que viven en madrigueras subterráneas. Sin embargo, a estas últimas también se las puede observar cómodamente iluminando su galería con una linterna.

➤ Durante el control diario, fíjese bien en posibles heridas tales como patas desgarradas, en síntomas de enfermedades y en la posible presencia de ácaros u otros parásitos sobre la araña (ver págs. 54 y 57).

➤ Si ve que la araña está en su escondrijo colocada del revés es señal de que está a punto de mudar. En ese caso, humedezca un poco la zona del escondrijo en el que va a tener lugar la muda. Así aumentará la humedad del aire dentro de éste y la araña podrá mudar con más facilidad (ver pág. 34).

**Vitaminas:** En el agua del bebedero de la tarántula no es necesario añadir vitaminas como suele hacerse con los reptiles. Lo importante es darle una alimentación variada y que las presas vivas estén sanas y bien nutridas.

## Control de la humedad del aire

La humedad y la temperatura del terrario deben medirse frecuentemente con la ayuda de un higrómetro y un termómetro. Para los terrarios existen aparatos digitales con una sonda externa que permite medir también la temperatura y la humedad en el interior del escondrijo de la araña. A las especies arborícolas y terrestres hay que regarles el

*Una* Selenocosmia arndtsi *bebiendo. Las tarántulas succionan el agua con la boca.*

sustrato una vez a la semana, y en verano es posible que algo más. A las especies de los bosques tropicales hay que humedecerles todo el sustrato. A las especies de zonas áridas basta con humedecerles un poco la zona de alrededor del bebedero. En la página 27 ya explicamos cómo se riegan los terrarios para especies zapadoras.

## Cómo tratar correctamente a las tarántulas

Dado su modo de vida tranquilo y reservado, a las tarántulas no les gusta que las saquen del entorno al que están acostumbradas. También les molestaría mucho que se las dejase corretear libremente por la habitación. Por lo tanto, es totalmente innecesario «sacarlas a pasear». Las tarántulas no son animales de peluche y no les gusta que las acaricien. Tampoco hay ningún motivo para cogerlas con los dedos. Sin embargo, hay momentos en que puede ser necesario coger a la tarántula con la mano.

RECUERDE

### Planificación de los cuidados del terrario

**Cada día...**

✔ hay que humedecer los terrarios de las tarántulas arborícolas pulverizando agua tibia por su interior con un pulverizador doméstico.

**Varias veces a la semana...**

✔ se retiran con una pinza los restos de comida y/o las presas vivas que hayan sido rechazadas por la araña y que aún estén deambulando por el terrario.

✔ se retiran los excrementos con una cuchara.

✔ se cambia el agua del bebedero. Lávelo con agua hirviendo, pero no emplee nunca jabón ni detergentes.

**Una vez a la semana...**

✔ hay que limpiar el terrario de hojas y trozos de plantas muertas. Las plantas que estén en macetas se pueden abonar con un fertilizante adecuado.

**Cuando sea necesario...**

✔ habrá que regar el sustrato del terrario (ver págs. 22, 25, 27).

✔ deberá limpiar el interior de los vidrios con un paño húmedo o una esponja para eliminar telarañas y restos de excrementos.

➤ Para saber cómo se comporta la araña será necesario que usted la haya tocado por lo menos un par de veces. Así también le tomará confianza al animal.

➤ En las exposiciones y en las escuelas puede resultar muy pedagógico coger una tarántula para demostrar que se trata de animales inofensivos.

➤ Cuando es seguro que habrá que coger a la araña es para determinar el sexo de un ejemplar subadulto y cuando las condiciones de iluminación no permitan observar su región genital a través de una caja para grillos. Suele ser necesario hacerlo en las bolsas de intercambio de tarántulas y certámenes similares. En estos casos se sujeta al animal de un modo especial (vea abajo y la fotografía de la derecha de la pág. 53).

SUGERENCIA

### No se olvide de la higiene

➤ Después de llevar a cabo los cuidados del terrario, no sólo es necesario lavarse bien las manos, sino que también hay que limpiar a fondo todos los instrumentos empleados, como por ejemplo, pinza, cuchara, etc.

➤ Mejor aún: disponga de un juego de utensilios de limpieza para cada terrario.

## Cómo coger correctamente a la araña

El que uno pueda o no coger tranquilamente a la tarántula dependerá del modo en que se defienda el animal.

➤ **Sujeción especial:** Con las tarántulas que se defienden mordiendo, es decir, las que consideramos «agresivas», es necesario extremar las precauciones. En el caso de que sea imprescindible cogerlas con la mano hay que hacerlo de un modo muy concreto. Sujete al animal colocando los dedos corazón y pulgar entre el segundo y el tercer par de patas de la araña. Apoye el índice sobre el opistosoma para evitar que se levante. Una tarántula inmovilizada de este modo intentará liberarse, pero ya no supone ningún peligro.

**Cuidado:** Antes de coger con la mano a una tarántula de las que se defienden a mordiscos es necesario que haya practicado esta forma de sujeción con una especie más tranquila, como por ejemplo *Avicularia minatrix*, y que lo haya realizado unas cuantas veces hasta dominar todos los movimientos.

➤ **Coger con la mano:** Las tarántulas que solamente se defienden proyectando las cerdas urticantes de su opis-

*A las tarántulas tranquilas se las puede capturar fácilmente con una cajita para grillos.*

**1 Tomar en la mano**

Coloque la mano abierta ante la tarántula. Con la otra mano, «empuje» cuidadosamente al animal para que se suba sobre la palma.

**2 Con la pinza**

Aguante a la araña con la pinza sujetándola por el prosoma. No apriete con fuerza ya que podría reventar el cuerpo de la tarántula.

**3 Sujeción especial**

Sujete a la araña con los dedos pulgar y corazón entre el segundo y el tercer par de patas. Estabilice al animal con el índice.

tosoma y que habitualmente se clasifican como «mansas», es posible cogerlas con la mano sin grandes problemas (ver foto de arriba a la izquierda). Sin embargo, las personas que presenten una fuerte reacción alérgica ante estas cerdas deberán abstenerse de cualquier contacto directo con estos animales.

➤ **Coger con la pinza:** Si a usted no le convence la idea de coger a una tarántula con la mano puede emplear una pinza larga. Coja a la tarántula por el prosoma y levántela cuidadosamente (foto de arriba en el centro). Nunca hay que apretar demasiado el prosoma porque se le podrían causar serios daños a la araña. Este método debe emplearse principalmente con tarántulas agresivas, ya que así se las mantiene a una distancia prudencial.

**Importante:** Siempre que se esté manipulando una tarántula hay que ir con mucho cuidado de que la araña no se caiga de la mano o de la pinza. Las caídas pueden causarles lesiones mortales, especialmente si se desgarra la piel del opistosoma. También pueden fracturarse o desprenderse las extremidades. De las tres formas de coger a una tarántula, el método de la pinza es el menos empleado incluso por los expertos. El riesgo de dañar a la araña es demasiado grande.

## Capturar a la araña sin peligro

Lo más fácil es hacerlo con una caja para grillos. Para capturar a la araña, coloque la caja abierta ante el animal y empújelo cuidadosamente con la tapa para hacer que penetre en su interior (ver foto de la pág. 52). Luego sólo hay que cerrar la caja con su tapa. Al capturar a la araña, asegúrese bien de que ninguna de sus extremidades quede atrapada entre la caja y la tapa, pues podría lesionarse.

# Cuando la tarántula se pone enferma

Por mucho que se esmere con sus animales, ningún cuidador de tarántulas está completamente a salvo de que sus animales puedan llegar a enfermar.

## Lesiones

El problema más frecuente con las tarántulas son las lesiones externas, especialmente en las extremidades y en el opistosoma (ver pág. 53).

**Las heridas abiertas** por las que supuran fluidos corporales pueden taponarse con azúcar en polvo o vaselina. Pero esto solamente sirve para heridas que no sean muy grandes. Si no hay forma de contener una hemorragia en una de las extremidades, induzca a la araña a desprenderse de la pata afectada soltándola por un punto de rotura natural situado en el trocánter (ver pág. 33). Este proceso recibe el nombre de autotomía. En ese punto actúan unos músculos que detienen rápidamente la hemorragia. Para ello, sujete la pata con una pinza por delante del trocánter (por el fémur) y tire de ella con fuerza. La pata se regenerará con la siguiente muda.

Pterinochilus murinus *es una especie africana que vive en galerías subterráneas. Su cuerpo puede alcanzar una longitud de hasta cinco centímetros.*

## Enfermedades

Actualmente sabemos muy poco acerca de las enfermedades bacterianas y víricas que afectan a las tarántulas, y apenas se han estudiado las vías de contagio ni el desarrollo de estas enfermedades. Entre ellas se cuenta una enfermedad de la que en los últimos años cada vez se habla más. Sin motivo aparente, las arañas se levantan totalmente sobre sus extremidades y empiezan a temblar. Esta enfermedad, conocida como «síndrome discinético» de las arañas, suele ser mortal.

Los nematodos también pueden ocasionar problemas, y su

*Lo que parece una inofensiva mancha roja es el temible y mortal cáncer de las tarántulas.*

acción suele ser igualmente fatal.

**Cáncer de las tarántulas:** Así es cómo denominan los expertos en tarántulas a una enfermedad que se manifiesta por una hinchazón en forma de ampolla en una parte del opistosoma. Al principio la ampolla es transparente, pero luego van apareciendo unas nervaduras cada vez más oscuras. En la fase final, poco antes de la muerte de la araña, la ampolla se vuelve totalmente oscura y parece una costra. Parece ser que se han conseguido salvar animales a los que el veterinario les ha extraído el fluido de la ampolla durante los estadios iniciales de la enfermedad.

**Enfermedades causadas por hongos:** Los hongos suelen fijarse sobre la coraza quitinosa de las arañas. Las infecciones se producen cuando se trata de animales debilitados y el sustrato está demasiado húmedo. Generalmente, las partes más afectadas son las extremidades y la región superior del opistosoma. Las partes infestadas se recubren de una capa blanquecina y aterciopelada. Para combatir la infección se pueden emplear pomadas antimicóticas de amplio espectro. Sujetela con los dedos (ver pág. 52) y póngale la pomada con un bastoncito con puntas de algodón. Repita el tratamiento hasta que el hongo desaparezca por completo.

## Reacciones alérgicas del cuidador

Al mantener tarántulas de las que proyectan cerdas urticantes (ver especies en las págs. 8 a 13), es posible que a lo largo del tiempo el cuidador vaya sufriendo una reacción cutánea cada vez más intensa contra ellas. Cuando se llevan años tratando a estas arañas, el contacto con sus cerdas urticantes ya no se limita a producir un enrojecimiento de la piel, sino que causa ampollas y pústulas. Pero éstas luego desaparecen por sí solas.

SUGERENCIA

### ¿Qué hacer en caso de mordedura?

- El veneno de las tarántulas no es mortal para el hombre, y normalmente se compara su efecto con el de la picadura de una avispa. De todo modos, si a usted le muerde una de estas arañas deberá ir al médico lo antes posible, ya que siempre existe el riesgo de que se produzca una infección secundaria de origen bacteriano.
- A las personas que tengan alergia a las toxinas animales, la mordedura de una tarántula puede llegar a causarles serios problemas. Los alérgicos deben extremar sus precauciones al tratar con estos animales.

# Cuestiones acerca de la salud y los cuidados

**¿Le perjudica a la araña si en casa empleo trampas para insectos o pulverizo insecticidas?**

Naturalmente que sí. Las trampas para insectos, como las que se cuelgan para combatir una eventual plaga de moscas en verano, emanan un veneno. Estas sustancias, al igual que las de los pulverizadores de insecticida, son tan mortales para las moscas como para las tarántulas. Y la tarántula puede resultar afectada aunque esté en otra habitación de la casa, ya que estas sustancias se expanden mucho. En caso de plaga de moscas, recurra a la antigua y eficaz pala matamoscas.

**¿La mordedura de una tarántula puede resultar peligrosa para otros animales domésticos tales como perros o gatos?**

Según los últimos estudios realizados sobre el veneno de las tarántulas, en Australia se considera que es muy peligroso para los perros. En este estudio se comprobó que ninguno de los casos de personas mordidas que se han documentado durante los últimos 30 años tuvo consecuencias graves, mientras que en los nueve casos documentados en el mismo espacio de tiempo en que la víctima fue un perro, el animal siempre murió rápidamente. En base a esto, cuando se esté ocupando de sus tarántulas será mejor que no deje que entre ningún otro animal en la habitación. Con toda seguridad, la mordedura de la tarántula también resultaría mortal para pequeños mamíferos tales como conejos, ratones, cobayas, o hamsters, así como para las aves de pequeño tamaño.

**¿Cómo puedo evitar que mi tarántula se fugue del terrario?**

*¡Buena caza! Esta* Brachypelma emilia *ha capturado un sabroso saltamontes.*

Las tarántulas son unas verdaderas artistas de la fuga. Los animales que tienen que permanecer durante algún tiempo en una cajita para grillos no tardan en intentar abrirla con sus colmillos. Pueden intentar levantar la tapa o, lo que es más frecuente, perforar un agujero en la caja. Las tarántulas intentarán emplear la más pequeña rendija para fugarse. Si su terrario es de los que tienen puertas correderas, asegúrese de cerrarlas bien después de hacer algo en su interior. Para evitar fugas, lo mejor será que sujete los vidrios correderos con unas cerraduras que venden en las tiendas de animales. Yo recomiendo mantener a las arañas en terrarios con puerta de deslizamiento vertical, en los que el vidrio frontal se desliza hacia arriba.

**? Me he fijado en que sobre mi tarántula corren unos pequeños animalitos blancos y redondos. ¿Qué son?**

Si sobre su tarántula ve unos animalitos blancos o amarillentos de aproximadamente un milímetro, lo más seguro es que se trate de ácaros. Las arañas importadas desde sus países de origen es frecuente que lleguen infestadas de ácaros. Los parásitos suelen situarse en el escudo, y especialmente en la fóvea (ver pág. 32). Pero también se los puede encontrar entre los arpejos más interiores de las extremidades (coxa) y en toda la región bucal. Dado que las infestaciones por ácaros debilitan mucho a las tarántulas, es necesario tratarlas cuidadosamente con alcohol isopropílico. Cargue una jeringuilla (sin aguja) o una pipeta con una solución de alcohol isopropílico al 70 % y deje caer unas gotas sobre los ácaros o sobre la zona del cuerpo afectada. Tenga mucho cuidado de que no caiga alcohol en la boca o en las aberturas pulmonares situadas en la parte inferior del opistosoma de la tarántula. Repita este tratamiento las veces que sea necesario hasta que ya no se vean más ácaros sobre la araña. Mientras dure el tratamiento habrá que mantener a la tarántula en un terrario bien ventilado. Jamás hay que bañar en alcohol a una araña infestada por ácaros, ya que éste penetraría por todas sus aberturas corporales y la mataría rápidamente.

## MIS CONSEJOS PERSONALES

*Volker von Wirth*

### Preparación para las vacaciones

- Antes de que lleguen las vacaciones, busque a algún aficionado a las tarántulas que pueda echar un vistazo a las suyas de vez en cuando durante su ausencia.
- Llene los bebederos de los terrarios. Es aconsejable sustituir los bebederos habituales por otros más grandes para que el agua tarde más en evaporarse.
- Humedezca bien el suelo para que el aire esté lo suficientemente húmedo.
- Retire excrementos y restos de comida, así como presas vivas que puedan haber podido quedar sueltas por el terrario; elimine también las hojas marchitas y restos de plantas en mal estado.
- Oscurezca la habitación en la que estarán las tarántulas. Así la temperatura ambiental no podrá subir demasiado durante su ausencia, especialmente en verano.

## SERES POCO SOCIABLES

Las tarántulas son animales **solitarios** y llevan una vida muy reservada. Desaconsejo encarecidamente **mantener juntos** varios ejemplares –especialmente de especies que viven sobre o bajo el suelo– ya que en esta situación lo más probable es que los animales luchen hasta la muerte.

# Una garantía de bienestar para sus tarántulas

## COMPRAR SOLAMENTE EJEMPLARES NACIDOS EN CAUTIVIDAD

Para ayudar a la protección de la naturaleza es importante **no comprar animales capturados** en su medio natural. En las bolsas y certámenes de arácnidos y animales de terrario podrá encontrar ejemplares nacidos en cautividad de cualquier especie que le interese.

## SALIRSE DE LA PIEL

Cuando una tarántula se coloca patas arriba no es que esté muerta. Lo que sucede es que se dispone a **mudar**. Cuando la araña está en esa posición **no** hay que **molestarla**. Humedezca el suelo y retire posibles presas vivas que estuviesen sueltas por el terrario.

## ALIMENTOS FRESCOS

Los insectos con los que se alimenta a las tarántulas deberán estar lo **más frescos posible**. Pero nunca hay que capturarlos e naturaleza ya que muchos de nuestros inse autóctonos están protegidos. Lo mejor es comprarlos en una tienda o encargar las pre vivas directamente a un criadero.

## CRECIMIENTO PASO A PASO

Después de cada muda, guarde el exuvio y extiéndalo antes de que se seque. Si colecciona **todas las mudas** de una tarántula y las pega sobre un soporte, podrá comprobar y documentar el crecimiento de su animal.

## UBICACIÓN ADECUADA

Coloque el terrario en un lugar al que no le dé la **luz solar directa**, ya que de lo contrario se sobrecalentaría. También es importante que el terrario esté en una habitación en la que no se fume, pues la nicotina es mortal para las tarántulas.

# Nuestros 10 consejos básicos

## AMPLIAR CONOCIMIENTOS

Dado que se sabe relativamente poco acerca del comportamiento y la biología de las tarántulas, es importante contactar con otros cuidadores para **intercambiar información** sobre estos animales. También es útil participar en asociaciones y foros.

## RESCATE DE URGENCIA

Durante el apareamiento de las tarántulas, tenga a mano una **pinza larga** para separar a la pareja en el caso de que la hembra intente **comerse al macho**. Traslade al macho y dispóngalo para otros apareamientos.

## UN CLIMA AGRADABLE

A pesar de que las tarántulas proceden de regiones tropicales y subtropicales, nunca hay que mantenerlas a una **temperatura** demasiado elevada (entre 20 y 28 °C) ya que en sus hábitats naturales suelen esconderse en **suelos más frescos.**

## ¡TRANQUILIDAD, POR FAVOR!

Las tarántulas no son animales para jugar o para acariciar. Lo que más les gusta es permanecer en su terrario y que las **dejen en paz**. No las saque si no es absolutamente imprescindible.

## Índice alfabético

Los números de página expresados en **negrita** corresponden a las ilustraciones. C= cubierta.

## El autor

Volker von Wirth trabaja desde 1985 en mantenimiento y clasificación de tarántulas. Ha publicado gran cantidad de artículos en revistas especializadas, incluyendo algunos con las descripciones de especies descubiertas por él. También suele dar conferencias sobre tarántulas, especialmente en colegios, para hacer que los niños y los adolescentes conozcan la apasionante vida de estos animales.

## El fotógrafo

Oliver Giel es especialista en fotografía de la naturaleza y de animales. Sus fotografías se publican en un gran número de revistas y guías de animales.

Fotos de la página 35: Uwe Anders

## A NUESTROS LECTORES

- El veneno que producen las arañas que mostramos en este libro no suele presentar ningún peligro para el hombre. Sin embargo, en caso de mordedura es importante desinfectar bien la herida y acudir al médico lo antes posible.
- En las personas alérgicas, este tipo de mordeduras pueden provocar una reacción mortal. Los terrarios siempre deberán estar bien cerrados, tanto para evitar fugas como para impedir que los animales puedan ser manipulados por personas no autorizadas.

# Mi tarántula

**Especie:** ______________________________

**Tienda donde la adquirí:** ______________________________

**Así le doy de comer:**

______________________________

______________________________

**Comportamientos que he observado:**

______________________________

______________________________

**Así le gusta que la cuiden:**

______________________________

______________________________

**Durante las vacaciones me la cuida:**

______________________________

______________________________

**Éste es su dibujo:**

______________________________

______________________________

**Éste es su veterinario:**

______________________________

______________________________

Título de la edición original: **Vogelspinnen.**



Depósito Legal: B. 01349-2006.

ISBN: 84-255-1632-3.



IMPRESO EN ESPAÑA PRINTED IN SPAIN

LIMPERGRAF, S. L. - Mogoda, 29-31 (Pol. Ind. Can Salvatella) - 08210 Barberà del Vallès